PASSION

L'AMANT DE l'ILE

Dans la même collection

Patt Bucheister

L'AMANT DE L'ILE

Titre original :
ISLAND LOVER

Première édition publiée par Bantam Books, Inc., New York, dans la collection Loveswept ®. Loveswept est une marque déposée de Bantam Books.

Traduction française Pascale de Lataillade
Couverture © 1992 Garin Baker

© 1992 by Patt Bucheister
© 1993, U.G.E., Poche Passion, pour la traduction française
ISBN : 2-285-01075-3
ISSN : 1158-6117

PROLOGUE

Julian Stafford s'affala encore un peu dans son siège devant le bureau de son beau-frère. Le vieux fauteuil en cuir de Sam grinça légèrement quand celui-ci se pencha en avant pour poser ses avant-bras sur le bureau encombré. Il venait d'étudier les différents rapports médicaux qu'il avait sous les yeux pendant quatre minutes et vingt-deux secondes.

Julian l'avait chronométré.

Se tortillant dans le vain espoir de trouver une position confortable, il maugréa :

— Je me demande vraiment où tu as déniché de pareils objets de torture, Sam.

— Cesse de grommeler. C'est ta sœur qui s'est occupée du mobilier. Si tu as des plaintes à formuler, adresse-toi à elle.

— Tout de même, tu devrais avoir plus d'égards pour tes patients.

Sam lança un sourire en coin à son beau-frère et leva enfin les yeux de ses dossiers.

— Décidément, je ne comprendrai jamais quelle mouche vous pique, toi et tous les membres de ta famille, dès que vous mettez le pied dans cette clinique. Mon personnel frémit dès qu'il voit votre nom inscrit sur le carnet de rendez-vous.

— La blonde de la radiologie n'avait pas l'air si traumatisée que ça quand elle m'a collé contre cette plaque glaciale. Elle n'a cessé d'insister pour que je retire mes vêtements.

— D'après tes sœurs, c'est la réaction de la plupart des femmes à ton contact.

— Sam, gronda Julian avec un sourire peiné, tu crois encore ce que mes sœurs te racontent? Ta femme se vante d'avoir épousé un des plus brillants médecins qui soient, et je me retrouve assis dans cette épave de fauteuil à te regarder tourner autour du pot pour m'annoncer que je n'ai qu'à prendre deux aspirines et te rappeler demain matin.

L'homme de l'autre côté du bureau se renfonça dans son siège :

— Bien. Allons droit à ce qui nous intéresse.

Avec autant de clarté que de concision, Sam énonça les résultats des différents examens et analyses que Julian avait subit. Une fois cet aspect technique écarté, il ajouta :

— Maintenant, malgré cet excellent bilan, je pense qu'il te faut des vacances. Si tu as à moitié autant de bon sens qu'un petit pois, tu suivras mon conseil.

Croisant ses jambes l'une au-dessus de l'autre, Julian contempla un instant sa chaussure noire bien cirée.

— Tu viens de me dire que j'étais en parfaite forme. Pourquoi prendrais-je des vacances?

— Tu as trente-deux ans, et non plus vingt-deux. Voilà des années que tu travailles douze à qua-

8

torze heures par jour, sept jours sur sept. Tu es venu me consulter pour des troubles de sommeil. Les causes d'ordre physique étant écartées, reste la possibilité que tes insomnies soient dues au stress et au surmenage. Je vais te prescrire un mois de repos et de détente. En tant qu'ami autant qu'en tant que médecin, j'espère que tu t'accorderas ce repos.

— J'ai trop de travail pour me permettre des vacances.

— Ce qui a commencé par nécessité quand tu avais vingt-quatre ans est devenu une habitude. Ta mère et tes trois sœurs n'ont plus besoin de ton aide financière. Les Industries Stafford sont parmi les plus riches. Tu as plus d'argent que tu n'en auras jamais l'utilité. Depuis quand n'as-tu rien fait juste pour le plaisir?

— J'étais venu pour une consultation médicale, et voilà comment ça tourne...

— Le moment est venu de t'accorder un temps bien mérité pour recharger tes batteries, poursuivit Sam sans relever le sarcasme. Envole-toi vers une île des tropiques, déniche là-bas quelque naïade, et oublie un peu tes affaires.

Julian déplia son long corps et se leva.

— Si je prends des vacances, ça ne sera certainement pas pour me trouver une femme. Vivre avec ma mère et mes sœurs m'a suffi et je mourrai comme je suis maintenant : en vieux célibataire heureux de son sort.

— Je n'ai pas dit de te trouver une femme pour la vie, simplement de t'amuser un peu. Ça ne t'es pas arrivé depuis longtemps. Ça te ferait le plus grand bien.

— Non, merci. Je n'en ai pas encore rencontré

une seule qui ne louche pas sur mon portefeuille. Crois-moi, tu n'es pas près de me voir impliqué dans une liaison sérieuse.

– C'est ce qu'on dit.

– Ça n'est pas une parole en l'air. Je le pense vraiment.

1

JULIAN s'arrêta au pied de la Tour Stafford, jeta un coup d'œil circulaire pour vérifier que personne ne l'épiait. Bien sûr, le boulevard Kapiolani, en plein centre d'Honolulu, était beaucoup moins encombré de voitures à minuit qu'en plein jour. Quelques passants déambulaient sur le trottoir opposé au sien, mais aucun ne sembla lui prêter attention. Il attendit cependant, précaution supplémentaire, qu'ils aient tous disparu avant d'attraper ses clés dans sa poche.

Cela semblait ridicule de se glisser comme un voleur en pleine nuit dans les locaux de sa propre entreprise, mais s'il voulait savoir où en étaient les négociations de contrats entreprises avant son départ en vacances, fouiller les dossiers en cachette était son seul recours. Car sa sœur, naturellement, resterait bouche cousue s'il lui posait la moindre question à ce sujet. Son nom était inscrit sur le bâtiment et partout à l'intérieur, mais il lui était interdit d'y pénétrer pendant les deux semaines à venir.

Quelle grossière erreur d'avoir choisi son beau-frère comme médecin personnel! Celui-ci s'était empressé de raconter à Karen, son épouse, le conseil qu'il avait donné à Julian, laquelle avait aussitôt alerté sa mère et ses deux sœurs. Résultat, le gang des femmes Stafford avait commencé son harcèlement, au téléphone ou de vive voix, invoquant le fait qu'il ne s'était accordé aucune pause depuis qu'il avait pris en main l'affaire familiale à San Francisco, huit ans auparavant, que son régime de travail était inhumain, bref, qu'il n'était pas Superman.

Devant l'inefficacité de ces arguments-là, elles étaient passées à une autre tactique, instillant peu à peu en Julian un sentiment de culpabilité. En ne prenant pas garde à sa santé, il ferait tant souffrir son entourage...

Finalement, c'est ce sentiment de culpabilité qui leur fit obtenir gain de cause. Julian avait beau affirmer qu'il n'était qu'un peu fatigué, elles ne le croyaient pas, se faisaient du souci pour lui, exerçant sur lui une pression qu'il ne put supporter.

Il accepta, avec un compromis : prendre deux semaines de vacances au lieu d'un mois.

Il avait donc quitté son appartement de San Francisco depuis trois jours, pour une résidence que possédait sa société à Honolulu. Certaines de ses voisines étaient fort séduisantes, de charmantes compagnes en perspective pour qui aurait voulu. Son appartement était luxueux, avec un lit aux dimensions royales et une vue de carte postale. Hélas, Julian n'y trouvait pas plus le sommeil qu'à San Francisco.

Et quel ennui mortel! Il y avait trop de soleil, trop de mer et de grand air, surtout pour un habitué du monde excitant des affaires. Pour autant qu'il pouvait en juger, les vacances étaient quelque chose de surfait.

12

Un dernier coup d'œil vers la rue, puis il sortit la clé destinée à neutraliser le système d'alarme avant d'ouvrir la lourde porte vitrée de la Tour Stafford. S'il croisait le gardien de nuit, ce qu'il ne souhaitait pas, il ne lui resterait qu'à se présenter et à croiser les doigts pour qu'il n'informe pas sa sœur de sa visite.

Car cette chère Justine l'avait averti : les gardiens de la sécurité étaient tous tenus de la prévenir s'il osait seulement poser un pied dans l'immeuble. Cette ténacité, qui faisait de Justine une excellente vice-présidente de la filiale de Hawaii, en faisait aussi une adversaire coriace quand il s'agissait de protéger sa famille. Que cette protection soit jugée utile ou non par l'intéressé, d'ailleurs...

Julian devait reconnaître que ses longues journées commençaient à lui peser, au physique comme au mental. Il lui était arrivé dernièrement, à la fin d'une journée des plus chargées, de se sentir beaucoup plus vieux que ses trente-trois ans. Même après avoir arraché les Industries Stafford à la faillite, il n'avait jamais allégé son emploi du temps, et cela pour une raison simple : son travail le passionnait.

Ce qui expliquait sa présence dans ses bureaux à minuit. Une de ses promenades d'insomniaque l'avait mené jusqu'ici, et puisqu'il s'y trouvait, il avait décidé de voir à quel stade en était Justine avec le contrat Kasagi.

La porte refermée, Julian remit le système d'alarme en place et se dirigea vers la rangée d'ascenseurs. Une voix féminine qui chantait légèrement faux l'arrêta dans sa progression. Il tourna la tête dans la direction d'où cela semblait provenir. Postée devant le mur est du hall d'entrée, une femme, le bras tendu, appliquait de la couleur sur une fresque en cours d'exécution. S'était-il trompé d'immeuble? L'air hébété, il regarda autour de lui, découvrit le Industries Stafford en lettres d'or sur le mur face à l'accès principal. C'était bien ici.

Son regard se porta de nouveau sur la femme entourée de son attirail de peinture. Il ôta ses lunettes, se frotta les yeux, les remit. Ouf, cette vision n'était pas le produit de son imagination. Dans son refus de parler affaires, Justine avait aussi négligé de mentionner, semblait-il, ce projet de décoration...

La silhouette élancée de la femme brune se détachait avec autant de netteté que son travail sous les faisceux des projecteurs. Ses hanches minces et sa queue de cheval se balançaient au rythme d'une musique audible d'elle seule; un casque d'écoute recouvrait ses oreilles. Sa façon de virevolter avait quelque chose de revigorant; cela devait être un air fort entraînant.

Ses jambes étaient fuselées, nues sous une jupe en jean arrivant à mi-cuisses. Elle portait un sweat-shirt d'une délicate teinte orangée dont le bord à côtes recouvrait à peine sa taille. Les manches en étaient relevées jusqu'aux coudes. Une série de bracelets en bois s'entrechoquèrent doucement tandis que sa main droite s'abaissait vers la palette posée sur un tabouret haut.

S'arrachant à cette contemplation, Julian fixa son attention sur la peinture. Un paysage tropical était représenté, avec palmiers, plages de sable, et une série de huttes en feuillage d'une époque lointaine. Des personnages et une partie du travail n'apparaissaient encore qu'esquissés, mais à en juger la partie achevée, soit presque la moitié du mur, la femme, si elle en était l'auteur, était pleine de talent.

La curiosité poussa Julian à s'approcher, puis à s'immobiliser à quelques pas d'elle. Soudain, il sut que la musique avait changé : les hanches de l'artiste et tout le bas de son corps se mirent à onduler avec une lenteur, une langueur, qui firent bouillonner son sang dans ses veines. Son pouls se mit à battre avec une précipitation qui le sidéra.

Et dire qu'il n'avait pas même entr'aperçu son visage...

Décidé à remédier à cela sans plus attendre, Julian marcha droit vers elle au moment où celle-ci se détournait pour remettre de la couleur sur sa brosse.

Elle ne le vit qu'en reprenant sa position initiale. Et ne manifesta pas la moindre crainte ou surprise, ce qui lui fit se demander si ce genre d'interruptions nocturnes étaient habituelles. Elle retira ses écouteurs, les laissant retomber autour de son cou, et dit tranquillement :

– Salut.

– Salut, répéta Julian en la dévisageant.

Le bleu profond de ses yeux était celui du ciel après l'orage. Et, cernant ce bleu, le noir intense de longs cils. Sa chevelure avait le même noir. Un léger hâle colorait sa peau, et ses lèvres au tracé sensuel avaient un air d'invite, bien qu'elle ne souriât pas.

Un besoin urgent le prit soudain de goûter à cette bouche. Ou de la voir sourire. Oui, il se contenterait du sourire pour l'instant.

Cet examen minutieux ne parut pas intimider

la jeune femme. Son regard clair s'attarda de même sur son visiteur, qui se surprit à se demander si elle appréciait autant que lui ce qu'elle voyait. C'était bien la première fois que Julian doutait de son charme et qu'il réagissait si fort à une présence féminine.

Il retira ses lunettes pour mieux la voir, puis sourit.

– Quand j'étais petit, ma grand-mère me racontait que les elfes sortaient la nuit en Irlande pour peindre le paysage et qu'il soit aussi vert et beau chaque matin. J'avais toujours cru qu'il s'agissait d'une de ses légendes irlandaises. Jusqu'à maintenant.

La surprise se lut un instant dans les stupéfiants yeux bleus. Lorsqu'elle se mit à sourire, Julian crispa ses mains pour se retenir d'aller effleurer sa bouche.

– Un peu d'aide de ce petit peuple me serait bien utile à l'heure qu'il est, fit-elle avec un fort accent irlandais. Trop bête que ça ne soit pas l'Irlande.

– Ils ne sortiront pas s'il y a du monde dans les parages, vous savez, enchaîna-t-il, prenant le même accent. Ils se transforment en pierre si quelqu'un les voit.

– Ce sont les farfadets, répliqua-t-elle, abandonnant l'accent, pas les elfes.

– Possible. N'auriez-vous pas aussi une grand-mère irlandaise, par hasard?

– Un grand-père. Il accusait toujours les farfadets de déplacer ce qu'il n'arrivait pas à retrouver. Plus il perdait la tête, plus il se plaignait d'avoir été ensorcelé par eux.

– Vous a-t-il aussi parlé du trésor au bout de l'arc-en-ciel?

16

– Chaque fois qu'il pleuvait. Je suis même souvent allée chercher le bout de l'arc-en-ciel.

Le regard de Julian glissa vers la fresque. La jeune femme se tenait au pied d'un arc-en-ciel qu'elle avait peint sur le mur.

– A cela non plus je ne croyais pas, jusqu'à maintenant.

Elle suivit la direction de son regard, puis le regarda lui :

– D'abord un elfe, maintenant un trésor. Les flatteries vont bon train ce soir.

Et cela n'était qu'un début, fut-il tenté de l'avertir. Mais Julian préféra changer de sujet :

– J'imagine que vous entendez ça tous les jours, mais votre travail est admirable.

– Je ne connais pas d'artiste qui se lasse d'être complimenté sur son œuvre, répliqua la jeune femme en souriant, reculant de quelques pas pour avoir une vue d'ensemble de la fresque. Ça commence à se tenir. J'ai toujours peur que le rendu final ne soit pas à la hauteur de mon projet initial...

– Travaillez-vous toujours si tard dans la nuit ? demanda-t-il en venant à son niveau.

– Quand c'est nécessaire. Tout dépend de l'endroit. Celui-ci est tellement passant pendant la journée que je me suis arrangée pour pouvoir venir en dehors des heures d'ouverture au public. J'en ai déjà fait l'expérience : je suis incapable de peindre au milieu d'un passage incessant de gens, sans parler de leurs questions sur ma technique, voire de leurs conseils.

– Et sans parler des tentatives de séduction des hommes.

– Est-ce ce que vous êtes en train de faire ?

— Je ne suis pas encore très fixé là-dessus.

— En attendant que vous le soyez, si vous me disiez ce que vous faites ici?

— Me croiriez-vous si je vous disais que je fais partie du service de nettoyage?

Le regard de l'artiste survola rapidement sa chemise ambre, son pantalon blanc immaculé, et elle secoua la tête.

— Depuis deux semaines que je travaille ici, je connais toute l'équipe. Et puis ils ne viennent que le mardi et le jeudi. Nous sommes mercredi. Trouvez autre chose.

— Que diriez-vous d'un cambrioleur?

— A moins d'être fétichiste en matière de matériel de bureau, il n'y a pas grand-chose à voler ici. Le gardien de nuit est en train de faire sa ronde, il n'a donc pas pu vous faire entrer. Ce qui signifie que vous devez avoir une clé, sans quoi l'alarme se serait déclenchée. Conclusion, vous travaillez probablement pour les Industries Stafford.

— Bravo, vous feriez un excellent détective.

— Simple question de bon sens, dit-elle sèchement.

Elle le planta là et alla fouiller dans un sac en toile posé sur la bâche de protection. Elle en extirpa une grosse Thermos rouge et une tasse en plastique, versa du café dans la tasse et la lui tendit.

— En voulez-vous un peu?

— Non, merci. Je n'ai nul besoin de café pour me tenir éveillé.

La jeune femme dut déceler quelque chose de contraint dans sa voix, car elle demanda, la tête légèrement inclinée :

— Des petits problèmes de sommeil?

Julian haussa les épaules, refusant de reconnaître ce qu'il considérait comme une faiblesse. Le sourire de son interlocutrice ne lui échappa pas.

— Qu'y a-t-il? s'enquit-il.

— Vous me rappelez mon frère, Scan. Quand il s'est cassé le bras en jouant au base-ball, il a absolument voulu terminer la partie avec son bras replié sous sa chemise au lieu d'abandonner et de partir à l'hôpital. Tout ça pour ne pas avouer sa souffrance.

— Eh oui. Ça n'est pas si facile d'être un macho.

— Apparemment non, renchérit-elle avant d'avaler une gorgée de café. Au fait, Bert devrait revenir d'une minute à l'autre. C'est le gardien de nuit. Si vous n'êtes pas censé être ici, il faudrait peut-être songer à vous cacher quelque part.

— Je m'occupe de lui.

— Au sens figuré, j'espère. Bert a cinq enfants et une femme adorable, qui n'apprécierait guère qu'on touche à lui.

— S'il a une telle marmaille, il ne devrait rien avoir contre le fait de se faire graisser la patte. J'ai remarqué que l'argent frais ouvrait beaucoup de portes.

Elle le dévisagea un moment, puis dit seulement :

— Un cynique insomniaque.

— Pas cynique, réaliste. Mais rassurez-vous. Je n'ai nul besoin d'avoir recours à la corruption ce soir. Ma présence ici est tout à fait justifiable.

Le beau regard bleu se posa de nouveau sur son visage, et Julian fut un peu déçu de constater qu'elle ne lui demandait pas plus d'explications. Au lieu de cela, elle retroussa ses lèvres d'un air pensif, et il désira de nouveau l'embrasser.

– Qui êtes-vous? demanda-t-il subitement, pris de l'envie d'associer un nom à cette fascinante créature.

Celle-ci l'étudia, comme partagée entre le choix de répondre à sa question ou l'ignorer, avant de parler.

– Je m'appelle Elise.

– Elise, répéta-t-il avec lenteur.

– Elise Callahan, précisa-t-elle.

– Un joli nom irlandais. Vous n'êtes pas une femme ordinaire, Elise Callahan.

– Vous êtes sans doute le seul à le penser. N'aviez-vous jamais rencontré d'artiste?

– Pas des comme vous.

Il devina à l'expression de ses yeux qu'elle ne savait trop si c'était un compliment ou non. Sa voix se fit de nouveau entendre:

– Quand la police m'interrogera pour son rapport, il serait bien que je puisse leur donner votre nom.

Sa façon détournée de lui demander ce détail le fit sourire.

– Julian.

– Julian. C'est votre prénom?

– Oui.

– N'avez-vous pas de nom de famille?

– Si. Simplement vous n'avez pas besoin de le connaître.

– Pourquoi? Votre tête est mise à prix?

– Pas que je sache.

– Bon, Julian, c'est agréable de bavarder, mais il faut que je me remette au travail.

Sans plus attendre, Elise se dirigea vers le tabouret où reposaient sa palette et ses pinceaux. Son admirateur se réjouit de constater qu'elle ne reprenait pas ses écouteurs.

– Ça vous ennuie si quelqu'un vous regarde peindre, Elise?

– Tout dépend de la motivation. Etes-vous intéressé par la peinture, ou est-ce juste que vous vous ennuyez?

– Je m'intéresse plus à l'artiste qu'à l'œuvre.

– Ah, murmura-t-elle. Vous vous ennuyez.

Avant que Julian ait pu la contredire, le bruit caractéristique indiquant l'arrivée d'un ascenseur au rez-de-chaussée se fit entendre. Puis le martèlement aisément reconnaissable de lourdes semelles en cuir sur le sol de marbre. Ses yeux ne se détachèrent pas de la jeune femme.

Celle-ci cessa de mélanger ses couleurs pour le regarder avec une expression de franche curiosité, tandis qu'elle attendait de découvrir ce qu'il allait faire.

Les pas se rapprochaient. Julian sourit.

– Je reviens, fit-il avant de partir à la rencontre du gardien de nuit.

Elise se força à se concentrer sur ses tubes de peinture pour éviter de penser à la façon dont allait s'en tirer Bert avec l'inconnu à la langue déliée. Le gardien était payé pour contrôler les allées et venues dans l'immeuble, elle pour peindre.

Cela ne l'avait pas tellement étonnée de voir quelqu'un ici à une heure pareille. Elle avait découvert, depuis qu'elle travaillait de nuit, que beaucoup de gens préféraient l'obscurité à la lumière du jour. Et cela pour autant de raisons variées que de personnes différentes.

L'irruption de Julian aurait pu être intrigante, si elle avait eu l'intention d'étudier de plus près cette attirance qu'elle avait senti jaillir entre eux. Mais s'attacher à un homme était bien le dernier de ses souhaits, alors qu'elle venait juste d'acquérir son indépendance vis-à-vis de frères qui la surprotégeaient. Il lui avait fallu si lontemps pour les convaincre de sa capacité à prendre soin d'elle-même que la jeune femme savourait sa liberté avec délices.

S'interdisant de se retourner pour regarder les deux hommes, Elise se mit en devoir de mélanger du jaune citron avec un soupçon de noir pour créer le vert délicat des feuilles de palmier. Sa brosse prit un peu de bleu de Prusse, qui vint donner au vert déjà obtenu une nuance plus foncée. Elle contempla un instant ce résultat, puis fronça les sourcils : inconsciemment, elle avait retrouvé le vert foncé des iris de Julian.

Avec irritation, elle racla cette couleur avec un couteau et l'essuya contre un Kleenex pour ne plus l'avoir sous les yeux. Son temps de travail s'étalait en général de sept heures du soir à deux heures du matin. Il lui restait encore deux heures, qui seraient beaucoup mieux utilisées si elle parvenait à se concentrer sur sa peinture plutôt que sur ce grand homme mystérieux surgi de nulle part.

Une curieuse sensation de picotement à la base de la nuque lui fit tourner la tête. Julian était à moitié assis sur le bureau du gardien, les bras croisés sur la poitrine. Il écoutait Bert, et la regardait.

Le regard d'Elise vola ensuite sur Bert. Version raccourcie du Père Noël, sans la barbe et avec un uniforme kaki au lieu du manteau rouge, ce dernier se tenait debout en face de l'inconnu. Et il souriait.

Revenant à sa fresque, la jeune femme ajusta ses écouteurs sur ses oreilles et mit sa musique en marche. Elle tendit sa brosse vers la zone de peinture qu'elle avait décidé d'achever ce soir.

Incapable de résister à un dernier coup d'œil, elle découvrit Bert assis derrière son bureau, en train de lire un journal. Et seul. Elle ravala sa déception. Le départ de Julian aurait dû la soulager, mais elle ne put s'empêcher de se demander la raison de sa venue ici. De se demander pourquoi son cœur s'était mis à battre comme la grosse caisse d'une fanfare...

Au prix d'un gros effort de concentration, Elise parvint à se couper de son environnement et à s'isoler dans sa peinture.

Le feuillage des palmiers terminé, elle s'attaquait au toit d'une hutte quand elle sentit une présence près d'elle. Le regard amusé de Julian happa le sien; cela lui coupa le souffle.

De sa main libre, elle retira ses écouteurs.

— Combien ça vous a-t-il coûté?

— Quoi donc?

— Pour acheter le gardien de nuit.

— Pas un cent. Mon charme a suffit, expliqua Julian, souriant de plus belle devant l'air sceptique d'Elise. C'est la vérité, je vous le jure.

— J'ai appris à ne pas croire les paroles d'un homme qui a l'art de la flatterie dans les veines, rétorqua-t-elle, reprenant l'accent irlandais.

— Cela aiderait-il que je vous dise que le sang irlandais a été considérablement dilué par un grand-père écossais et une mère anglaise?

— Du tout. Et j'ai du travail. Et vous, n'avez-vous rien à faire? Ou est-ce que déranger les gens est votre activité principale?

– Je suis en vacances. Déranger les gens est juste une occupation secondaire.

– Bon, mais je ne suis pas en vacances, moi. Si je veux être payée, il faut que j'avance cette peinture.

– On m'a récemment fort bien expliqué les méfaits d'un travail trop intensif. Voulez-vous que je vous en fasse part?

– Non, merci. Je suis certaine d'avoir déjà eu droit à toutes les variations possibles sur ce thème.

Julian tendit un sac au logo d'un des restaurants du centre commercial Ala Moana.

– Bert m'a dit que vous n'aviez pris aucune pause depuis sept heures. Il m'a recommandé un chinois dans les parages. Il a pris sa part, mais il reste encore plein de bonnes choses.

Elise jeta un coup d'œil en direction du gardien de nuit, qui ne le remarqua pas, trop occupé par une brochette de porc et un carton blanc apparamment bien garni.

– Je vois que Bert aussi peut être acheté, murmura-t-elle.

Julian se dirigea vers un banc de marbre et y déposa le sac.

– Allez-vous me laisser manger tout ça seul?

Le parfum entêtant des épices faillit ébranler sa volonté.

– Je le crains. Il faut vraiment que je termine cette zone si je veux finir dans les temps.

Il s'assit et s'adossa au mur, étirant ses longues jambes devant lui tandis qu'il déballait un rouleau de printemps. Ses paupières étaient lourdes, signe caractéristique de la fatigue. Il y avait aussi les yeux piquants, les muscles vidés de leur énergie, le bourdonnement dans les oreilles comme s'il avait la tête sous l'eau. Ce qui était inhabituel était cet étrange contentement qui l'envahissait lorsqu'Elise Callahan était avec lui. Cette révélation l'aurait sans doute peu flattée, elle risquait de penser qu'il la prenait pour une paire de bonnes vieilles pantoufles. De toute façon, il ne comptait rien lui dire pour l'instant. Tout ce qu'il voulait était écouter.

— Pouvez-vous parler et peindre en même temps ?

— Tout dépend de quoi vous voulez parler. Si c'est de la théorie de la relativité, inutile de compter sur moi.

C'était elle qui l'intéressait, mais Julian préféra choisir un sujet de conversation plus susceptible de la mettre à l'aise.

— Combien de temps un projet de cette taille nécessite-t-il, habituellement ?

Elle regarda par-dessus son épaule. Une fois de plus, il s'était déplacé dans une direction inattendue.

— Du début à la fin, commença-t-elle, une fresque comme celle-ci avec des motifs assez simples prend un peu plus d'un mois. Une semaine pour faire l'esquisse à l'échelle, une autre semaine pour reporter le dessin sur le mur, puis deux à trois semaines pour la peinture à proprement parler.

— Si une société veut vous engager pour peindre un mur, comment vous contacte-t-elle ?

— Nous sommes dans l'annuaire.

— Nous ?

— Je fais partie d'un groupe d'artistes. En plus d'une maison, nous partageons un atelier-galerie appelé Hale Hana.

— Hale Hana?

— Cela veut dire atelier.

— Combien êtes-vous dans votre groupe?

— Cinq, répondit Elise, se demandant s'il maintenait juste la conversation ou s'il voulait vraiment savoir. Nous avons fait la même école d'art, et en en sortant nous n'avions tous qu'une envie, peindre. Séparément, nous ne pensions pas avoir beaucoup de chances de nous en tirer, c'est pourquoi nous avons réuni nos talents et nos maigres finances pour fonder Hale Hana. Pour l'instant, nous devons la plupart de nos commandes au bouche-à-oreille.

— Est-ce ainsi que les Industries Stafford vous ont trouvée?

Une note somnolente dans sa voix fit tourner la tête à la jeune femme. Affalé contre le mur, il la regardait avec nonchalance, et semblait avoir complètement oublié le sac de nourriture.

Il était à deux doigts de s'endormir, songeait-elle avec envie.

Tout en peignant, elle répondit à sa question :

— La femme qui m'a engagée était venue voir une de nos expositions à Hale Hana. Elle avait acheté une de mes peintures et je lui avais montré d'autres travaux. Un mois plus tard, elle m'a appelée et demandé de venir à la Tour Stafford, voir le mur qu'elle voulait décorer dans le hall d'entrée. J'ai donné à Mme Garrison un devis approximatif, puis une série de croquis. Nous nous sommes mises d'accord après quelques suggestions de sa part.

— C'est bien Justine. Toujours à mettre son grain de sel partout...

Sa voix était devenue si basse qu'elle l'entendit

à peine. Elise se retourna de nouveau. La première chose qui attira son attention fut qu'il avait
retiré ses lunettes et les tenait dans sa main, qui
reposait sur sa cuisse. Elle vit ensuite que ses
yeux étaient clos. Sa poitrine se soulevait puis
retombait doucement.

Il s'était endormi.

2

QUELLE nuit étrange, songea Elise en mordillant le bout de son pinceau. Quel homme étrange. A la coupe de ses vêtements et à sa luxueuse montre en or, elle devina qu'il pouvait sans problème s'offrir une chambre dans n'importe quel hôtel de Waikiki. Et son physique devait lui permettre de passer ses soirées avec toutes les belles femmes qu'il voulait, dans l'une ou l'autre des innombrables boîtes de nuit de Waikiki ou d'Honolulu.

En tout cas, il lui avait donné l'impression d'un homme devant lequel toutes les portes pouvaient s'ouvrir s'il le désirait.

Alors pourquoi se sentait-elle si peinée pour lui? Le fait qu'un homme choisisse de s'endormir sur un banc dur et froid plutôt que dans un lit douillet aurait dû le rendre original à ses yeux plutôt que provoquer sa compassion. Tel était pourtant son état d'esprit.

La voix familière de Bert se fit entendre à son oreille, dans un murmure rauque :

– Je disais justement à Marjorie ce matin qu'il ne se passait jamais rien ici la nuit. Quand elle va entendre ça... J'ai ordre de prévenir Mme Garrison si son frère entre dans l'immeuble, mais M. Stafford a dit qu'il l'avertirait lui-même.

Elise se retourna lentement vers le gardien de nuit.

— M. Stafford? répéta-t-elle, pointant le doigt sur le même nom inscrit sur le mur. Ce M. Stafford-là?

— En personne. Je l'aurais cru plus vieux, plus imposant, vous voyez? Il a plaisanté avec moi comme un type tout simple. Quand Mme Garrison m'a demandé de l'appeler s'il venait ici, j'ai cru qu'il était un peu cinglé ou quelque chose comme ça. Mais comme il a l'air normal... Et puis il m'a rappelé que j'avais intérêt à faire ce qu'il me disait, car il est le patron.

Elise baissa les yeux sur Julian Stafford. Il avait eu l'occasion de lui dire qui il était, mais ne l'avait pas fait. Décidément, que de mystères autour de cet homme.

— Savez-vous où demeure M. Stafford, Bert? demanda-t-elle à voix basse.

— Mmm. Dans la résidence de la société, à deux pas d'ici. Il faudrait peut-être que j'appelle un taxi. Il ne peut pas passer la nuit comme ça. J'espère qu'il n'est pas malade.

— Je pense que c'est juste la fatigue, dit Elise, consultant son bracelet-montre, qui indiquait presque deux heures. Je vais rentrer aussi.

— Pourriez-vous attendre l'arrivée du taxi avant de partir? Je vous accompagnerai à votre voiture ensuite.

— C'est inutile que vous m'y accompagniez ce soir, Bert. Ne vous inquiétez pas. Je ne suis pas garée loin.

— J'ai promis à votre frère de ne pas vous laisser retourner seule à votre voiture à cette heure de la nuit, objecta Bert, se frappant soudain le front en découvrant le regard éberlué de la jeune femme. Moi et ma langue trop bavarde. Je ne devais surtout pas vous le dire, bien sûr.

— Lequel de mes frères vous a demandé ça? demanda Elise, bien que devinant la réponse.

Bert fronça les sourcils, puis son regard s'anima.

— Michael. Oui, Michael Callahan. J'ai son numéro de tétéphone quelque part dans mon bureau. Je dois l'appeler s'il vous arrivait un ennui.

Même de Maui, son frère la tenait à l'œil...

— Et quand lui avez-vous parlé?

— Le soir où vous êtes venue installer votre matériel. Il avait l'air très soucieux de vous, et j'ai trouvé ça très attentionné. Je lui ai dit que je prendrais soin de vous comme si vous étiez ma propre fille.

Décidément, cette nuit était celle des révélations, songea-t-elle.

— Merci d'avoir veillé sur moi, Bert, dit-elle doucement, consciente que celui-ci était sincère, et que la faute ne lui incombait pas si son frère la prenait toujours pour une enfant incapable de traverser seule une rue.

L'homme se gratta la tête en lorgnant vers Julian.

— Je vais appeler un taxi. Autant le laisser dormir jusque-là.

Il s'en fut téléphoner, et Elise procéda au nettoyage de ses pinceaux avant de ranger son matériel dans le petit coffre en bois fabriqué par son frère Sean. Elle isola ensuite la section qu'elle venait de peindre, plaçant les lourds poteaux métalliques et leurs épais cordages de velours de façon à maintenir les gens à bonne distance du mur.

Julian dormait toujours. Elle s'agenouilla près de lui, retira doucement ses lunettes de ses mains, les replia et les glissa dans sa poche de chemise. Puis elle toucha son genou.

– Monsieur Stafford? souffla-t-elle, lui secouant un peu la jambe. Monsieur Stafford. Julian. Réveillez-vous.

Ses yeux s'ouvrirent avec lenteur.

– Elise?

Sa voix la fit vibrer de tout son être.

– Oui. Bert vous a appelé un taxi. Il devrait bientôt arriver.

Les doigts de Julian se refermèrent sur la main d'Elise encore posée sur son genou.

– Combien de temps ai-je dormi?

– Pas longtemps. Peut-être une demi-heure.

– Je n'ai pas l'habitude de m'endormir en présence d'une jolie femme. Vous avez une voix apaisante.

– Voilà un compliment qu'une femme n'entend pas assez souvent, fit Elise d'une voix traînante. J'ignorais que j'avais tout du tranquillisant. Ou que j'étais mortellement ennuyeuse.

– Je vous faisais réellement un compliment, insista-t-il, mêlant ses doigts à ceux de la jeune femme pour l'empêcher d'enlever sa main. D'ailleurs, l'effet que vous produisez sur moi n'est pas aussi détendant sur toutes les parties de ma personne.

– Vous manquez de sommeil, trancha-t-elle. Vous délirez.

– Je présume que vous n'envisageriez pas de me suivre chez moi ? Si vous étiez avec moi, j'aurais plus de chance de récupérer ce sommeil. Je n'y comprends rien, mais je suis prêt à essayer tout ce qui marche, au point de désespoir où j'en suis.

Le pouls d'Elise avait commencé à s'emballer quand il avait entrelacé leurs doigts. Maintenant son cœur se serrait dans sa poitrine à l'idée de ce qu'il suggérait. Refusant de le prendre au sérieux, elle retira sa main et se redressa.

– Je n'avais pas reçu d'aussi flatteuse proposition depuis le collège quand le capitaine de l'équipe de football m'avait invitée à leur soirée parce j'étais de la bonne taille pour être sa cavalière. Ma réponse est non, monsieur Stafford.

Le regard de ce dernier chercha le sien :

– Vous savez qui je suis.

– Bert n'a pas réalisé que je n'étais pas censée savoir.

Ne laissant pas le temps à Julian de s'expliquer, le gardien de nuit réapparut justement.

– Votre taxi vient d'arriver, monsieur.

– Merci. Je viens tout de suite.

Le regard de Bert passa du visage d'Elise à celui de Julian, puis revint à celui de la jeune femme.

– Je vous raccompagnerai quand vous serez prête, mademoiselle.

– Laissez, Bert, intervint Julian, je raccompagnerai Elise à sa voiture.

Elle ne tenta pas de protester, c'était perdu d'avance. Elle attrapa sa sacoche en toile, s'assura d'un dernier coup d'œil n'avoir rien oublié, puis accrocha le panneau « Peinture fraîche » et se dirigea vers la sortie.

Julian lui emboîta le pas, prit son sac. Dehors, Elise attendit qu'il réenclenche le système d'alarme. La fraîcheur nocturne lui fit du bien après ces heures enfermée dans le grand hall.

— Où est votre voiture? s'enquit-il, lui prenant le bras.

Elle désigna le parking tout proche. Qu'il fût le riche propriétaire des Industries Stafford ne l'intimidait pas, mais cela l'étonnait qu'il ne lui ait pas dit plus tôt. Il aurait pu se servir de son nom pour l'impressionner, mais non. Le fait est qu'elle n'avait pas eu besoin de ce détail pour être séduite, dut s'avouer la jeune femme.

Ils passèrent devant le taxi. Julian se pencha pour demander au chauffeur de l'attendre, et ils repartirent.

— Vous n'avez pas une trop longue route pour rentrer chez vous?

— Ça dépend. A cette heure-ci, ça roule bien et je rentre environ en une demi-heure. J'habite à Haleiwa.

— Vivez-vous seule?

— Non.

Il s'arrêta brusquement et la dévisagea.

— Vous ne portez pas d'alliance.

— Je ne suis pas mariée, répliqua-t-elle avec patience.

— Pourquoi ne vous épouse-t-il pas?

— Qui?

— L'homme avec lequel vous vivez.

— En réalité, je vis avec deux hommes.

Il rejeta la tête en arrière comme sous l'effet d'une gifle.

— Quoi?

Son air choqué la fit pouffer.

– Et aussi avec deux femmes.

– Vous vivez avec quatre personnes ?

– Ça n'a rien d'indécent. Deux d'entre elles sont mari et femme, et les autres de simples amis.

– Je croyais que les communautés étaient démodées, commenta-t-il après un silence.

– Pas la pauvreté. Nous habitons en commun parce que c'est meilleur marché que d'être chacun de notre côté, et la maison est tout près de la galerie, expliqua Elise, tendant le bras pour récupérer son sac, puis, désignant le minibus garé non loin : Je peux continuer seule. Votre taxi vous attend, monsieur Stafford.

Lui saisissant le poignet, Julian l'empêcha de partir.

– Faites-moi une faveur, Elise. Laissez tomber le monsieur Stafford. Ne vous servez pas de mon nom pour essayer de me tenir à distance. Ça ne marchera pas.

Agrippant sa sacoche, elle le regarda droit dans les yeux :

– Puis-je vous faire remarquer que vous n'êtes ici que pour peu de temps ? Cette île regorge de belles femmes qui se font un plaisir d'agrémenter les séjours des touristes de passage. Sachez que je n'en suis pas et que ça ne m'intéresse pas.

Les yeux de l'homme se plissèrent quand il les baissa vers elle, pour murmurer d'une voix basse un peu inquiétante :

– Je ne crois pouvoir me le tenir pour dit. J'ai besoin de découvrir par moi-même si je vous intéresse ou non.

Elise voulut protester, mais n'en eut jamais l'occasion. La bouche de Julian se referma sur ses lèvres entrouvertes. Un petit cri de plaisir échappa à Elise. Le baiser s'intensifia. Un feu sensuel embrasa sa peau, que la brise nocturne ne pouvait éteindre. Elle crut que son cœur avait cessé de battre, puis il se mit à tambouriner lourdement contre sa poitrine quand Julian glissa un bras autour de sa taille pour l'attirer fermement contre son torse dur, la submergeant de sa masculine senteur.

Le désir dévastateur qui s'empara d'elle l'effraya.

Elle le repoussa, il lui fallait mettre une distance entre eux. Sa sacoche lui avait échappé durant ces tumultueux instants. Comme une somnambule, elle se baissa pour la ramasser.

Elle se dirigea vers son minicar sans dire un mot à Julian. Elle craignait trop de le regarder ou même de lui dire un simple bonsoir.

Il ne tenta pas de l'arrêter, si étourdi de ce qui venait de se produire qu'il resta un moment planté sur place. La voiture sortit du parking, ses feux arrières rapetissèrent jusqu'à devenir de minuscules points rouges et disparaître. Ce qui avait débuté comme une façon de tester le réel intérêt d'Elise pour lui s'était transformé en une expérience inoubliable...

Elise arriva une demi-heure en retard à la Tour Stafford le soir suivant. Elle n'avait cessé de courir depuis le moment où la sonnerie de son réveil l'avait réveillée en sursaut le matin même. Sa journée se serait mieux passée, bien sûr, si elle avait réussi à se concentrer sur ses tâches au lieu de penser à Julian Stafford. Et si elle avait passé la nuit à dormir au lieu de revivre sans cesse cet inoubliable baiser.

Elle n'était d'ordinaire pas sujette aux insomnies. Travailler à la galerie et peindre pendant la journée, puis travailler de nouveau la nuit la fatiguaient tant qu'elle s'endormait en général dès qu'elle avait la tête sur l'oreiller.

Mais hier n'avait pas été une journée ordinaire. Quand Bert l'eut fait entrer, la jeune femme déballa machinalement son matériel, et tout naturellement, ses pensées s'orientèrent vers celui qui hantait son esprit depuis la nuit précédente. Julian Stafford avait-il trouvé quelqu'un d'autre pour s'amuser ce soir? D'ailleurs, quelle importance cela pouvait-il avoir? Il n'y avait aucune raison de s'attendre à le revoir, ni même de désirer de revoir. Pourquoi être déçue qu'il ne soit pas revenu? se sermonna-t-elle. C'était pourtant le sentiment qui ne la quittait pas depuis qu'elle avait découvert Bert seul sur les lieux.

Tout en commençant à mélanger ses couleurs, Elise se força à penser à autre chose. A ce que leur avait dit Polly le matin même, par exemple. Ils étaient tous dans la cuisine avant de se mettre au travail, et Polly en avait profité pour leur annoncer qu'elle quittait l'île ce matin. Son départ tombait mal, avec le loyer à payer dans une semaine, elle s'en rendait compte et en était désolée, mais elle partait avec l'homme qu'elle fréquentait depuis quinze jours.

Avec la franchise de vieux amis, Wayne et Roy avaient traité Polly de folle de vouloir partir avec un type qu'elle connaissait depuis si peu de temps. Avec plus de tact, Elise et Kate lui avaient suggéré d'attendre que leur liaison se solidifie, mais elle avait été inflexible. Cela n'était pas un engouement: elle l'aimait et ne pouvait vivre sans lui. Bien que tous persuadés qu'elle commettait une énorme erreur, les quatre amis n'avaient pu empêcher son départ.

Et il fallait maintenant trouver une autre personne pour partager le loyer, ce qui n'allait pas être facile. Peu de gens accepteraient de partager une maison avec quatre personnes, ainsi que les frais de fonctionnement de la galerie Hale Hana. Sans parler du fait que Wayne était un ours, que Kate faisait collection de carillons, et que Roy avait pris possession de la cuisine et insistait pour faire manger à tous ses plats diététiques à base de tofu et d'algues... Bref, des personnalités qu'on pouvait ne pas apprécier.

Et trouver un locataire qui soit artiste de surcroît allait être encore plus difficile. Les marines de Polly se vendaient bien et avaient fortement contribué à remplir la caisse de la galerie. C'était donc une perte importante pour le groupe, à moins de trouver immédiatement un ou une remplaçante.

Le bail était au nom d'Elise, ce qui la rendait responsable du bon paiement du loyer. Faire appel à Michael ou un autre de ses frères était hors de question, cela les aurait trop réjouis de constater qu'elle ne pouvait se débrouiller seule. Toujours est-il qu'elle devait trouver cet argent.

Elise peignait un des personnages de sa fresque quand elle prit conscience du bourdonnement de voix basses derrière elle. Ses doigts se crispèrent sur le manche du pinceau. Leur identification fut aisée : celle rauque et familière de Bert, et l'autre, masculine aussi, qu'elle n'avait entendue qu'une fois mais ne pourrait jamais oublier.

Prudemment, elle regarda par-dessus son épaule. Le gardien de nuit était renversé sur sa chaise, les yeux levés vers le grand homme juché sur un coin de son bureau. Comme la nuit précédente, le vent avait laissé un léger désordre dans ses cheveux, mais un jean et un sweat-shirt blanc aux manches retroussées jusqu'aux coudes remplaçaient la tenue plus chic de la veille. Le hâle de ses avant-bras n'avait rien à envier à celui de son visage. Il avait apparemment profité d'une des plages de Hawaii pendant la journée.

Son regard croisa enfin celui de la jeune femme, le soutint. Elle secoua légèrement la tête, comme pour refuser ce que les yeux vert sombre pouvaient lui demander, et se détourna. Le moins qu'elle pouvait faire, songea Elise en élevant sa brosse vers le mur, était de dissimuler à cet homme l'effet qu'il produisait sur elle, et qu'elle ne pouvait hélas nier.

Julian s'était rapproché, elle le sentit avant de le voir. L'air semblait soudain chargé d'électricité, son être entier était aux abois. Sur la défensive, elle tourna la tête. Les yeux verts exprimaient une franche approbation.

— Encore à traîner dans les rues, monsieur Stafford?

— Je croyais que nous avions décidé de laisser tomber cette expression distante.

— Vraiment? Cela a dû m'échapper, dit-elle froidement.

La lueur amusée de son regard lui indiqua qu'il n'était pas dupe de son petit jeu et qu'il ne comptait pas se laisser faire.

— J'ai essayé de vous appeler aujourd'hui à la galerie.

Elise ne put masquer cette fois sa surprise :
– Pourquoi ?
– Voyons, Elise. Ne faites pas l'idiote. Vous savez très bien pourquoi.
– Tout ce que je sais, c'est que vous êtes apparemment désœuvré et que vous semblez compter sur moi pour vous occuper.
– Ça n'est pas exactement ce que j'avais à l'esprit. La coutume veut qu'un homme et une femme lient connaissance autour d'un repas avant de partager le même lit, voilà ce à quoi je pensais.
– Le repas est hors de question dans les circonstances actuelles.
– Vous ne mangez jamais ?
– En général sur le pouce. Mon emploi du temps est un peu chargé en ce moment.
– Bon. Vous avez éliminé la sortie au restaurant, et nous avons déjà lié connaissance en bavardant. Reste le lit. Qu'en dites-vous ?
Tout en se refusant à le prendre au sérieux, Elise dut lutter avec force contre les visions d'elle-même blottie contre son corps nu et chaud qui envahissaient son esprit.
– Elles vont peut-être plus vite en besogne à San Francisco qu'ici, répliqua-t-elle cependant, mais je ne connais pas une femme qui sauterait dans le lit d'un homme qu'elle n'a vu que deux heures dans le hall d'une entreprise.
– Et notre baiser dans le parking, lui rappela-t-il doucement. L'avez-vous oublié ?
Hélas, c'était impossible. Sous prétexte d'essuyer la brosse sur un chiffon, elle détourna les yeux.
– Il va falloir vous satisfaire d'un simple non, Julian. J'ai du travail.

– Oh, allez-y, peignez. Je resterai tranquillement assis à vous regarder. Quand vous serez prête à prendre une pause, nous discuterons du loyer que vous demandez pour la chambre qui s'est libérée dans votre maison.

Sa bouche s'ouvrit tout grand, ses doigts laissèrent échapper le long manche du pinceau qui atterrit sur la bâche de protection. Refermant la bouche dans un claquement, Elise dévisagea Julian, puis parvint à articuler :

– Maintenant je sais pourquoi vous êtes en vacances. Vous avez fait une dépression nerveuse.

Le rire de l'homme résonna dans le vaste hall. Il retira ses lunettes et lui sourit.

– C'est ce qui me plaît chez vous, Elise. On peut être sûr que vous direz toujours votre pensée sans prendre de gants.

– Oh, je peux être bien plus franche que ça, monsieur Stafford. Vous êtes complètement cinglé.

– Je ne suis pas fou. Bert m'a dit que vous cherchiez quelqu'un à qui louer cette chambre. Je suis candidat pour ma période de vacances. Je paierai un mois entier alors que je ne vais rester que deux semaines. Reconnaissez que c'est une bonne affaire.

– Vous voulez rire. Qu'est-ce qui vous fait croire que j'accepterais une chose pareille? Alors que vous êtes propriétaire de cet immeuble et d'une résidence à Honolulu, et que Mme Garrison, votre sœur, vous accueillerait certainement chez elle si vous le demandiez? Et je dois vous croire quand vous me dites avoir besoin d'une chambre dans une maison pleine d'artistes?

Le regard de Julian exprimait maintenant le plus grand sérieux :

– Je pense que c'est exactement ce dont j'ai besoin.

La colère d'Elise s'évanouit. Il ne plaisantait pas, réalisa-t-elle. Se souvenant de ce curieux élan de sympathie qu'elle avait éprouvé pour lui quand il s'était endormi sur le banc, elle sentit qu'elle ne devait pas être la seule à avoir des problèmes.

– Julian, vous ne vous rendez pas compte. Je vous préviens, nous ne sommes pas vraiment des colocataires ordinaires. Kate collectionne des carillons qu'elle suspend dans toute la maison. Roy, son mari, interdit l'accès de quiconque à la cuisine, et à moins d'aimer le tofu, soit vous mourrez de faim soit vous en serez réduit à grignoter dans votre chambre, comme nous le faisons tous. Wayne est ce qu'on appelle aimablement un ours, à raison d'environ deux mots de conversation par jour... Quant à l'ordre, c'est un état que cette maison ne connaît pas. Ça n'est pas ce à quoi vous êtes habitué, croyez-moi.

Les yeux dans ceux de la jeune femme, il se rapprocha d'elle et posa ses mains sur ses épaules.

– Je vis actuellement dans un appartement luxueux et impersonnel où, grâce aux services hyperperformants d'un service de nettoyage, pas un grain de poussière ne traîne. Les seules conversations que j'aie eues de la journées sont celle avec le portier et une autre avec un bambin qui jouait dans le sable. Je pourrais rendre visite à ma sœur et à son mari, ce qui signifierait discuter cours de la bourse et subir les efforts de Justine pour me trouver l'épouse idéale. Je n'ai pas eu le choix quant à ces vacances, au moins je veux avoir celui de les passer avec qui je veux. Laissez-moi venir habiter chez vous.

Le côté pratique d'Elise considéra la solution à son problème d'argent et, malgré quelque résistance du côté affectif, ce fut lui qui gagna.

— Vous pouvez venir à la maison et rencontrer les autres demain. Si vous avez toujours envie de rester après avoir vu ce dans quoi vous vous embarquez, alors d'accord.

Il prit le visage de la jeune femme entre ses mains.

— Je viendrai plutôt avec vous ce soir. Je n'ai jamais été très doué pour trouver mon chemin.

— Ni pour vous satisfaire d'un simple non, il me semble.

— C'est-à-dire? interrogea Julian avec un sourire.

— Quand j'ai refusé d'avoir une aventure avec vous. Je le pense vraiment, Julian. Que vous veniez habiter avec nous ne veut pas dire que vous serez le bienvenu dans mon lit.

— Et vous embrasser? Aurai-je ce droit-là?

Refusant de se laisser entraîner sur ce terrain dangereux, Elise le repoussa et retourna travailler. Rien que l'idée de leur dernier et unique baiser la fit un instant flageoler sur ses jambes.

3

APRÈS avoir accompagné Julian chez lui
cette nuit-là, Elise l'attendit dans le séjour pendant qu'il choisissait quelques vêtements. Elle
n'osa s'asseoir de peur de s'endormir. Ses pieds
s'enfoncèrent dans le tapis mœlleux tandis
qu'elle arpentait la pièce. Pourquoi vouloir quitter un appartement douillet pour une maison
encombrée de quatre personnes et de toutes
leurs affaires ? Cela restait pour elle une
énigme.

Son regard survola la pièce immaculée. Plus
que fonctionnel, le mobilier était raffiné, élégant.
Rien n'indiquait qu'une personne vivait ici, pas
même un léger creux dans les coussins ou sur le
canapé de lin blanc ; une gravure représentant
une scène en mer constituait le seul élément de
décoration des murs blanc cassé. Quelques
plantes vertes disposées avec recherche. L'endroit
semblait sorti d'une revue de décoration.

Si Julian préférait ce style d'environnement, le
choc risquait d'être rude quand il verrait la maison d'Haleiwa.

Quand il ressortit d'une des chambre avec sa
valise, Elise tenta de nouveau de l'avertir :

– Je ne sais pas à quoi vous vous attendez, Julian, mais notre maison n'est pas du tout...

– Des remords?

– Plutôt, oui. J'en avais déjà avant de voir votre appartement. Mais là... Si c'est le genre d'intérieur que vous aimez, vous n'allez pas supporter le nôtre. Aucun de nous n'est un as du ménage, excepté Roy qui maintient la cuisine dans un état de propreté maniaque. Quant au reste de la maison...

– Parlons-nous d'un aimable désordre ou de franche saleté? demanda Julian d'un air amusé.

– C'est un mélange des deux. Entre la galerie et les commandes, nous n'avons pas beaucoup de temps à consacrer au rangement et au nettoyage.

– Ne vous inquiétez pas. Je survivrai.

– Tout de même. Je ne peux pas me servir de vous comme ça. J'admets que j'ai besoin de cet argent, mais ça serait déloyal de vous faire venir alors que vous êtes habitué à ce genre d'intérieur.

L'homme eut un regard circulaire.

– Ma sœur a fait appel à un décorateur pour aménager cet appartement, avec pour consigne d'en faire un lieu susceptible d'impressionner les clients. Donc pas un endroit où l'on puisse envoyer promener ses chaussures et s'écrouler sur les fauteuils. Je le déteste.

– Je crains que ça ne marche pas, objecta-t-elle encore, pas convaincue.

– Ça marchera. J'aurai mes deux semaines de vacances puisque je serai près de vous, et vous, vous aurez l'argent du loyer. Nous en retirerons tous les deux quelque chose.

– Et si vous changez d'avis en voyant la maison, pas de reproches, d'accord? Je vous rendrai votre argent. Marché conclu? fit Elise en tendant la main droite.

Posant sa valise, Julian ignora sa main et posa les siennes sur les épaules féminines.

– Marché conclu, murmura-t-il avant de l'embrasser.

Le désir la transperça avec une force qui lui coupa le souffle. Jamais le baiser d'aucun homme n'avait provoqué en elle une telle explosion des sens. Tandis que ce baiser redoublait d'ardeur un soupir languissant lui parvint, et elle réalisa qu'il venait d'elle.

Il était tout en virilité, en puissance et en sensualité, autant de raisons pour lesquelles elle devait lui résister. Elise remonta ses mains sur le torse ferme dans l'intention de le repousser, au moment où il poussait plus loin l'exploration de sa bouche...

La jeune femme s'arracha à ses lèvres brûlantes.

– Non, Julian. Je ne veux pas.

Il releva la tête avec lenteur. Découvrit la passion hébétée dans le stupéfiant regard bleu. La bouche généreuse, humide de ses baisers, un supplice de tentation auquel il lui fut difficile de résister. Pourtant il résista. Il le fallait. Pour le moment.

Sa voix était rauque quand il parla.

– Vous avez de la chance qu'on m'ait appris à être galant, sinon je vous traiterais de menteuse.

Elise sortit de sa poche l'argent qu'il lui avait déjà donné pour son loyer, et le lui tendit.

– Tenez. J'ai changé d'avis. Ça ne marchera pas.

Au lien de la garder, Julian remit la liasse de

billets pliés dans la poche de chemisier de la jeune femme.

– Nous avons conclu un marché, je vous rappelle.

– Le marché stipulait qu'il n'y aurait pas d'aventure entre nous, je vous rappelle.

Il considéra son air inflexible avec étonnement.

– Nous nous faisons plaisir l'un à l'autre. Quelle que soit la manière dont on peut envisager ça, je ne vois pas où est le mal.

– Je n'ai pas dit que c'était mal. J'ai juste dit que ça ne se produirait pas.

– Sapristi, mais pourquoi? Et que faites-vous de cette attirance entre nous? Vous ne pouvez pas nier une telle onde de choc!

– Julian, il est important pour moi de réussir dans mon travail, de prouver que je peux m'en sortir seule. Je ne peux pas me permettre de laisser quelqu'un s'interposer là-dedans.

– Je n'ai pas l'intention de vivre dans votre poche de jean, même si ça me paraît être l'endroit rêvé. Je suis tout à fait conscient que vous avez un travail à effectuer et je serais bien le dernier à vouloir dissuader quelqu'un de travailler. Je n'ai fait que ça depuis huit ans. C'est tout ce que je sais faire. Ça me rend dingue d'être inactif. Ça m'aiderait juste à supporter ces vacances si je pouvais les passer avec vous et vos amis.

– Vous en parlez comme d'une punition. Pourquoi en avoir pris si vous n'en aviez pas envie?

– Ordre du médecin, grommela Julian. J'avais un petit problème d'insomnie, et j'ai fait la bêtise d'aller voir mon beau-frère, qui est médecin. Il m'a prescrit du repos, et je comptais bien ignorer son conseil, mais il a prévenu ma sœur, qui a raconté ça à mes deux autres sœurs et à ma mère. Contre elles quatre, je n'avais plus aucune chance.

Elise comprit. La force du nombre. Il lui avait toujours été plus facile de s'opposer aux tempéraments possessifs de ses frères pris séparément que contre les quatre réunis...

Une grande lassitude s'empara d'elle, l'empêchant de soulever le moindre autre argument de résistance. Et puis il lui fallait toujours cet argent. Et cela ne durerait que deux semaines, après tout. Il ne pouvait pas arriver grand-chose en deux semaines.

– Si vous êtes prêt, décida-t-elle, autant y aller maintenant. C'est mon tour d'ouvrir la galerie demain matin, et j'ai besoin de dormir un peu.

Le sentiment d'intense soulagement qui envahit Julian le surprit. Il avait cru un moment qu'elle allait refuser. Continuer à la voir était devenu vital pour lui. Jamais aucune femme n'avait exercé sur lui une attirance aussi particulière.

Une demi-heure plus tard, Elise gara le minicar derrière la galerie. La petite pendule de son tableau de bord indiquait trois heures. De la lumière filtrait des stores du séjour ; sans doute Wayne, qui préférait travailler de nuit. Au moins, Julian aurait de la compagnie s'il avait du mal à s'endormir.

Elle tourna la tête vers celui-ci. Il s'était assoupi dès qu'ils étaient sortis de Honolulu. Elle allait devoir le réveiller, lui montrer sa chambre et le reste de la maison, l'installer avant de pouvoir enfin se coucher. Seigneur, si elle avait pu dormir une semaine d'affilée...

La lueur jaune des projecteurs de sécurité de la galerie éclairait le visage de l'homme. Elle se prit à l'étudier sans qu'il en soit conscient. Il avait retiré ses lunettes pendant le trajet et les avait rangées dans sa poche de chemise. Deux franges de cils longs et épais reposaient sur sa peau mate; ses lèvres étaient légèrement entrouvertes.

Qu'avait-il pour la perturber de la sorte? s'interrogea Elise. Certes, il était séduisant, et elle avait toujours été sensible à toute forme de beauté. Mais, jusqu'à présent, jamais le fait de regarder un bel homme n'avait provoqué un tel émoi de ses sens. Rien qu'avec un de ses sourires, Julian parvenait à faire bondir son cœur dans sa poitrine ou à lui donner l'impression qu'il avait cessé de battre. S'énumérer toutes les raisons de lutter contre cette attirance était inutile. Une seule suffisait : Julian Stafford n'était que de passage à Hawaii. Même si elle avait été tentée par une liaison amoureuse, cela n'aurait pu être avec lui.

Et cette manie qu'il avait de s'endormir en sa présence... Cette situation aurait sans doute paru insultante à beaucoup de femmes, surtout si quelque chose les liaient à cet homme. Mais il n'existait rien d'autre entre elle et Julian qu'une relation de loueuse à locataire.

Plaçant sa main sur son épaule, elle le secoua plusieurs fois.

— Julian, réveillez-vous.

Il marmonna quelque chose d'incompréhensible, sans émerger de son sommeil.

Elle le fusilla du regard, sans grand effet puisqu'il avait les yeux clos, mais cela la soulagea.

— Si vous ne vous réveillez pas, menaça doucement Elise, je vous laisse ici. Je refuse de passer la nuit là-dedans pour me réveiller pleine de courbatures.

Pas de réaction non plus. Elle se pencha vers lui dans l'intention de le secouer comme un prunier, quand de vigoureuses mains l'attrapèrent à la taille et la soulevèrent par-dessus le levier de vitesses. Elle atterrit sur les cuisses musclées de son passager, sa jupe entortillée sous elle. Se débattit aussitôt, s'arc-boutant contre son torse.

— A votre place, j'arrêterais de gigoter comme ça sur moi, murmura Julian, d'une voix endormie et rauque de désir.

— Alors lâchez-moi.

— Dans ce cas, fit-il en ouvrant les yeux, je préfère que vous continuiez à vous agiter sur moi. Je trouvais juste plus honnête de vous avertir de ce qui risquait de se produire... de ce qui est déjà en train de se produire, plus exactement.

Le sentant se durcir sous sa cuisse, Elise cessa de se débattre. Elle se sentit soudain trop fatiguée, envahie à son contact par une vague de sensuelle chaleur. Sa tête alla s'appuyer contre le torse solide; elle exhala un long soupir.

Surpris par sa subite capitulation, Julian l'entoura simplement de ses bras. La senteur fraîche de sa chevelure, sa douceur, que tout cela lui était déjà précieux!

— Avez-vous beaucoup dormi ces derniers temps, Elise?

— Pas assez, lui répondit une voix somnolente.

— C'est bien ce qui me semblait. Bien que ce soit fort agréable, il faut que vous rentriez dormir.

Elle se blottit dans une position plus confortable.

— Juste une minute. Une toute petite minute...

Percevant un changement dans le rythme de sa

respiration, il réalisa qu'elle était sur le point de s'endormir. Malgré le plaisir de l'avoir dans ses bras, il savait qu'elle se reposerait mieux dans son lit. Hélas, il était encore prématuré d'envisager l'y rejoindre...

Il la souleva pour pouvoir actionner la poignée de la portière, puis ouvrit celle-ci en grand en la poussant au maximum avec son pied. Avec une relative facilité, il sortit du minicar en portant la jeune femme dans ses bras. Son cœur se mit à marteler sa poitrine quand il la sentit enfouir son visage au creux de son cou et l'enlacer. Son souffle chaud contre sa peau était un délice. Il referma la portière d'un coup de hanche, luttant intérieurement pour maîtriser le désir brûlant qui menaçait de le submerger, et se dirigea vers la maison.

La porte d'entrée était fermée, naturellement, et Julian avait les deux mains occupées. La solution à ce problème se présenta d'elle-même : une silhouette se profila à travers le rideau tiré derrière la vitre, puis disparut. Elise lui avait parlé de l'habitude d'un de ses amis de vivre surtout la nuit, se souvint-il. Etrange manie, avait-il jugé sur le moment, alors qu'il se réjouissait maintenant de la présence du noctambule.

Il tapa deux fois du bout du pied dans la porte pour attirer l'attention de ce dernier. Le bruit ne sembla pas troubler son fardeau : ses paupières restèrent closes, sa respiration lente et régulière.

La porte s'ouvrit dans un grincement de gonds. Julian crut d'abord avoir affaire à un jeune garçon. Il lui arrivait à l'épaule, flottait dans une chemise trop grande pour lui, et portait un jean usé et délavé. Seule une barbe noire de plusieurs jours sur son menton indiquait qu'il ne s'agissait pas d'un frêle adolescent.

Sa voix aussi. Un grondement sembla sortir des profondeurs de sa gorge quand il ouvrit en grand la porte et regarda Elise :

– Que lui est-il arrivé ?

– Rien de mal. Elle dort simplement.

Ils l'entendirent alors soupirer longuement, comme si ce soupir avait pris naissance à la pointe de ses orteils avant de parcourir tout le trajet jusqu'à ses lèvres.

– Je ne dors pas, dit-elle, relevant la tête. Wayne, je te présente Julian Stafford. Il va occuper temporairement la chambre de Polly. Julian, Wayne Garrett.

Les mains toujours prises, Julian hocha juste la tête.

– Vous pouvez me remettre debout, maintenant.

– Seulement quand vous serez dans votre chambre.

Wayne le dévisagea d'un air ébahi.

Julian franchit le seuil de la porte avec son tendre fardeau et suivit le petit homme dans le couloir. Ce dernier ouvrit une des portes et fit un pas de côté pour le laisser entrer. La lumière du couloir lui permit d'avancer sans se cogner aux meubles. Un rapide coup d'œil lui apprit qu'il n'y avait, de toute façon, pas grand-chose dans quoi se cogner. La chambre avait tout d'une cellule de religieuse, lui sembla-t-il.

L'étroit lit en fer lui rappela celui tout rouillé sur lequel il avait dormi dans un camp d'été des années auparavant. Une armoire imposante se distinguait aussi dans l'ombre. A côté du lit, une petite table dont les pieds semblaient avoir été coupés. Une lampe avec un abat-jour imitation Tiffany trônait dessus.

Tel était l'unique contenu de la chambre. Ni tapis ni chaise ou fauteuil. Pas un bibelot. Rien n'indiquait qu'Elise vivait ici. Il n'y avait pas de fenêtre. Cela le conduisit à s'interroger sur la chambre qu'il allait lui-même occuper. Peut-être aurait-il dû prendre les mises en garde de la jeune femme au sérieux?

Elle émit une molle protestation quand il la déposa doucement sur le mince matelas. Il ne l'en blâma pas : il aurait poussé plus qu'un gémissement s'il avait eu à passer la nuit sur ce triste sommier.

Il s'assit sur le rebord du lit dès qu'elle se mit sur son séant.

— Où voulez-vous aller?

— Il faut que je vous sorte des draps propres et que je vous montre la maison.

— Wayne peut s'en occuper, la rassura Julian en écartant quelques mèches rebelles du front d'Elise. Vous avez besoin de dormir.

— C'est à moi de le faire, pas à Wayne.

Un doigt de Julian vint se pointer sous le menton obstiné.

— Je peux aussi repartir à Honolulu, et vous n'aurez plus à jouer les entêtées. Bien sûr, vous n'aurez plus l'argent de la location, mais c'est votre choix.

— Comptez-vous me balancer cet argent à la figure chaque fois que vous voulez obtenir quelque chose?

— Juste cette fois, sourit l'homme, c'est promis. Je sais ce que c'est de ne pas dormir assez, Elise.

Profitez du peu de temps qui vous reste et fermez ces beaux yeux. Et ne vous faites pas de souci : j'arriverai à faire mon lit tout seul et à trouver la salle de bains.

— Mais, et vous? Allez-vous pouvoir vous endormir?

— Est-ce une proposition? Je dors si bien à vos côtés.

Elle secoua la tête avec exaspération, se laissa retomber sur le matelas.

— J'ai dû perdre la tête pour accepter que vous habitiez ici.

Julian s'abaissa pour lui retirer ses sandales et les déposa sur le sol, sous le lit.

— Vous vous poserez ce genre de question à votre réveil.

— C'est maintenant que je devrais le faire, avant qu'il ne soit trop tard...

Ses paupières s'abaissèrent, sa respiration se fit plus profonde. Julian se releva et la contempla du haut de sa taille. Il se sentait tel un homme qui aurait souffert de la soif depuis une éternité et viendrait enfin de trouver l'eau qui donne la vie.

— J'ai l'impression qu'il est déjà trop tard, souffla-t-il.

Avant de céder à la tentation de s'allonger près d'elle, il sortit de la chambre et ferma la porte derrière lui. S'adossant au mur, il ôta ses lunettes et ferma les yeux. Ils étaient brûlants du manque de sommeil et sa tête semblait comme chaque nuit près d'éclater.

Le bruit de quelqu'un qui se raclait la gorge le fit se retourner. Une silhouette floue se tenait au bout du couloir. Julian chaussa de nouveau ses lunettes et reconnut le personnage qui leur avait ouvert.

– Wayne. Je vais avoir besoin de vous.

– Vraiment?

– Oui. Pourriez-vous me montrer ma chambre et où trouver des draps pour mon lit?

Sa chambre fut une surprise, après ce qu'il avait vu de celle d'Elise. Il y avait des rideaux aux fenêtres, un lit à deux places, deux commodes, un grand placard, et une toile aux couleurs vives était accrochée à un des murs. Un tapis tressé de forme ovale couvrait le sol au pied du lit.

Wayne l'aida à faire celui-ci sans qu'il le lui ait demandé. Julian ne tenta pas de bavarder avec lui. Plus qu'antisocial, l'artiste lui parut timide. C'était sans doute parce qu'il était peu à l'aise avec les autres qu'il préférait avoir la maison à lui pendant la nuit, en conclut-il.

Ce fut pourtant Wayne qui entama la conversation :

– Travaillez-vous à l'huile ou à l'acrylique? demanda-t-il.

– Ni l'une ni l'autre.

– Quel matériau utilisez-vous alors?

– Les composants, répondit Julian en tapotant l'oreiller.

– Pardon?

– Les composants électriques.

Wayne se redressa et dévisagea son interlocuteur.

– Vous n'êtes pas un artiste?

– Je ne saurais même pas tenir un pinceau.

– Je ne suis pas. Pourquoi Elise vous aurait-elle loué la chambre de Polly si vous n'êtes pas un artiste?

– C'est seulement temporaire, dit Julian, restant délibérément dans le vague. Je ne vais rester que deux semaines.

L'expression de Wayne resta aussi étonnée qu'avant ce semblant d'explication. Sans poser d'autre question, il tourna les talons en marmonnant une invitation à boire un rafraîchissement.

Julian accepta et le suivit dans le couloir.

— La salle de bains est là, l'informa son hôte en désignant la première porte sur la gauche. Ensuite c'est la chambre de Roy et Kate. La mienne est de l'autre côté du couloir. Je vous conseille de faire votre toilette avant sept heures le matin. C'est l'heure à laquelle sonne le réveil de Kate. Elise se lève en général plus tôt, mais elle ne monopolise pas la salle de bains comme elle. Tandis que quand Kate y est, c'est pour un sacré bout de temps.

— Je m'en souviendrai.

Wayne invita Julian à entrer dans le séjour, et celui-ci s'assit sur le coussin rebondi d'un des fauteuils, tandis que l'autre disparaissait de nouveau.

L'atmosphère de la pièce était chaleureuse, avec son canapé, ses fauteuils et petites tables en rotin. Des peintures aux styles variés ornaient les murs, témoignage de l'activité des occupants de la maison. Des plantes verdoyantes et des poteries colorées cotoyaient harmonieusement les teintes vertes, pêche et bleu clair des coussins.

Le désordre évoqué par Elise n'avait rien d'insupportable. Il s'agissait plutôt d'une accumulation d'objets de toutes sortes : revues d'art, vêtements oubliés sur un dossier de chaise ou sur un accoudoir, livres, plusieurs sculptures sur bois en cours de réalisation, bougies de toutes tailles.

Julian appuya sa tête contre le dossier du fauteuil et allongea ses jambes devant lui. Il aimait cette ambiance et la brise rafraîchissante que laissaient entrer les fenêtres ouvertes. Le courant d'air faisait doucement s'agiter les carillons à vent pendus un peu partout au plafond, créant un bruit mélodieux et apaisant.

Cette soirée le rendait heureux, songea-t-il. Il allait pouvoir voir Elise plus souvent maintenant, et il allait pouvoir dormir.

Wayne reparut avec deux verres. Il en tendit un à Julian puis parut ne plus très bien savoir ce qu'il était censé faire.

Julian le remercia, goûta une gorgée du breuvage couleur pêche.

— Qu'est-ce que c'est?

— Jus de goyave.

Ne trouvant rien à dire sur cette saveur étrange, Julian changea de sujet.

— Elise m'a dit que vous travailliez la nuit, commença-t-il, puis, n'obtenant d'autre réponse qu'un hochement de tête : Si vous avez encore quelques minutes, j'aimerais vous poser une ou deux questions.

Quelques instants s'écoulèrent avant que Wayne ne vienne finalement s'asseoir à une extrémité du canapé, posant son verre sur son genou.

— Que voulez-vous savoir?

— Pourquoi Elise vit-elle comme une Cendrillon dans cette maison?

Un clignement d'yeux, puis un sourire animèrent le visage barbu.

— Vous voulez parler de sa chambre? C'est elle qui s'occupe de nos finances. Elle n'a rien contre les dépenses de mobilier sauf pour elle.

— Pourquoi?

— Bah. Pourquoi ne le lui demandez-vous pas?

— Elle dort.

– Je voulais dire demain. Vous aurez tout le temps de lui demander ce que vous voulez.

– Acceptera-t-elle de répondre?

– Peut-être pas, concéda Wayne, retrouvant son sourire timide. Elle est très attachée à son indépendance. Elle ne se livre pas facilement.

Julian avait remarqué. Avant qu'il ait eu le temps de l'interroger encore, l'artiste vida son verre et se leva.

– Je serai à l'atelier qui jouxte la galerie, si vous avez besoin de quelque chose. Vous sortez par la porte de derrière, et ensuite à gauche.

Il était presque quatre heures du matin, et Julian ne se sentait pas vraiment en état de dormir...

– Merci de votre aide.

– Pas de problème. A un de ces jours, lâcha Wayne avant de s'éloigner, puis se retournant: Les frères d'Elise sont-ils au courant de votre présence ici?

– J'en doute. Est-ce important?

– Ça pourrait. Ça ne va pas leur plaire du tout, ajouta-t-il avec un sourire entendu.

Les sourcils de Julian restèrent froncés plusieurs secondes après son départ. De quoi s'agissait-il donc?

Laissant de nouveau aller sa tête en arrière, l'homme ferma les yeux. un sourire se dessina sur ses lèvres. Quelle allait être la réaction de Justine quand il lui apprendrai où il résidait! Il lui faudrait la convaincre qu'il n'était pas devenu fou, ce qui n'allait pas être évident. Elle allait forcément trouver louche ce choix de vivre dans une communauté d'artistes. L'unique activité pseudo-manuelle qu'il ait jamais eue avait dû consister à planter un clou dans un mur pour suspendre un tableau, aussi l'étonnement de sa sœur serait-il légitime...

Julian s'extirpa de son fauteuil. Dans le couloir, il passa devant la porte d'Elise sans céder à la tentation d'entrer. Après avoir refermé sa propre porte, il ôta ses chaussures, s'allongea sur son lit. Les mains croisées derrière la nuque, il leva les yeux vers le plafond tandis que son esprit s'évadait vers la femme qui dormait de l'autre côté du couloir.

Le simple fait de la savoir tout près lui procurait un sentiment de satisfaction et de paix, comme si la pièce manquante d'un puzzle avait enfin été mise en place.

Il remua et se retourna dans l'espoir de trouver une position confortable. Tapa dans son oreiller pour lui donner toutes sortes de formes. Cela n'y changea rien. C'était une nuit comme tant d'autres où le sommeil refusait de venir. Et cela l'énerva vite autant que les autres nuits.

Les yeux grands ouverts dans l'obscurité, il finit par pousser un grognement de frustration et bascula ses jambes à terre.

Ses pieds nus le menèrent sans faire de bruit jusqu'à la porte. Julian l'ouvrit et traversa le couloir.

4

ELISE attacha ses longs cheveux en queue de cheval tout en se hâtant vers la cuisine. Elle avait trop dormi. Une fois de plus. Cela devenait une habitude qu'elle ne pouvait se permettre.

Cette fois, cela n'était pas faute d'avoir remonté son réveil ou pour s'être rendormie après qu'il ait sonné. Non, il avait tout simplement disparu de sa table de nuit quand elle avait ouvert les yeux ce matin.

Autre bizarrerie : son lit avait été écarté du mur. Elle n'avait aucun souvenir de l'avoir bougé, mais qui d'autre qu'elle aurait pu le faire ?

Elise avait failli tomber en se retournant sur son matelas, et c'est d'ailleurs ce qui l'avait réveillée. Elle se souvenait vaguement s'être tournée vers le mur en quête d'une chaleur qu'elle s'attendait à y retrouver. Et se demanda franchement pourquoi en se réveillant, puisque sa couverture était comme d'habitude pliée à ses pieds.

Peut-être était-ce simplement dû au fait d'avoir rêvé qu'elle était blottie dans les bras de Julian...

La porte de celui-ci était ouverte, et elle vit en passant dans le couloir le lit fait et sa valise posée sur le tapis.

La jeune femme glissa son tee-shirt blanc dans la ceinture de sa jupe en madras avant d'entrer dans la cuisine, s'apprêtant à trouver ses amis réunis autour de la table. Surprise : personne ne se trouvait dans la pièce et une propreté immaculée régnait. La table du petit déjeuner avait été débarrassée, la vaisselle faite. Elise toucha la cafetière vide : les parois en étaient froides, pas même un souvenir de la chaleur du café n'y subsistait.

Un coup d'œil à la pendule murale confirma ses soupçons quant à l'heure. Elle dut même la regarder deux fois, ne parvenant à croire qu'il était si tard. Mais si : dix heures et demie. Et elle était censée ouvrir la galerie à neuf heures...

Kate l'avait sans doute fait à sa place, alors qu'elle avait projeté d'aller ce matin aider un client à accrocher une peinture qu'il lui avait achetée. Sapristi, pourquoi personne n'était-il venu la réveiller ce matin ?

Elise ouvrit le réfrigérateur et prit un petit carton de jus de pomme qu'elle emporta dehors.

Ses sandales crissèrent doucement sur le gravier tandis qu'elle traversait le parking en direction de la porte du fond de la galerie. Plusieurs voitures étaient garées à proximité de l'entrée principale, indiquant la présence de visiteurs. Les matinées étaient d'ordinaire un peu mortes en semaine, sauf les jours de pluie. Les touristes venaient de préférence s'enfermer dans les galeries et autres lieux couverts quand le soleil ne brillait pas.

Le bruit crépitant d'une agrafeuse lui parvint lorsqu'elle pénétra dans l'atelier à l'arrière de la galerie. Roy était penché sur un encadrement en cours ; ses bras musclés tenaient l'ensemble pourtant lourd sans effort. Grand, bronzé et d'allure athlétique, on l'aurait plus imaginé en train de surfer sur les vagues ou de manier le marteau qu'occupé à réaliser les délicates aquarelles dont il était l'auteur.

Il sourit en voyant arriver Elise :

— Salut. Tu as donc fini par émerger.

— Pourquoi ne m'a-t-on pas réveillée? répliqua-t-elle sans sourire.

— Julian a dit de te laisser dormir.

— Julian?

— Il a dit que tu étais épuisée et que tu avais besoin de récupérer. Ça fait déjà un moment que nous l'avions aussi remarqué. Voilà pourquoi nous t'avons laissée dormir.

Les doigts de la jeune femme se crispèrent.

— Julian Stafford est un locataire temporaire. Il n'a pas à se mêler de ça.

— Même s'il a raison? Tu te surmènes, et depuis trop longtemps, Elise. Julian nous a fait prendre conscience de ce que nous profitions de toi. Nous voulons tous que Hale Hana soit une réussite, mais aucun de nous ne travaille aussi dur que toi.

— Je ne travaille pas plus dur que le reste de la bande. Bon, il faut que j'aille relayer Kate. Nous parlerons de ça plus tard.

— Kate n'est pas à la galerie. Elle a un rendez-vous pour accrocher un tableau chez un client.

Elise fronça les sourcils. Ils n'avaient tout de même pas laissé la galerie à Wayne, qui refusait depuis le début tout contact avec le public?

Elle poussa la porte battante qui séparait l'atelier de la salle d'exposition. Quelques touristes déambulaient au milieu des peintures accrochées aux murs et sur les panneaux mobiles qu'avaients construit Roy et Wayne.

Au détour de l'un d'entre eux, elle s'immobilisa tout net en découvrant l'homme qui était assis sur le tabouret pivotant derrière le comptoir d'information. Il était adossé au mur derrière lui, les bras croisés sur la poitrine. Ses yeux verts pétillèrent de malice quand il l'aperçut.

Elise avança lentement vers Julian, consciente de son regard qui ne la quittait pas et de chaque inspiration qu'elle prenait. En sa présence, et cela l'avait mise mal à l'aise dès le premier instant de leur rencontre, elle se sentait plus femme que jamais, elle se sentait unique. Et c'était encore plus difficile à combattre que cette évidente attirance physique entre eux.

Parvenue devant le comptoir, elle posa son carton de jus de fruit pour attraper un bonbon dans la corbeille disposée là.

Julian jaugea la petite boîte en carton.

– Jus de pomme et friandise? Ça n'est pas vraiment ce qu'on appelle un petit déjeuner énergétique.

– Grâce à vous, j'ai raté le petit déjeuner.

– Je vous en prie, dit-il, nullement ébranlé. En revanche, j'ai pour ma part vaillamment avalé une pile des crêpes à la farine de riz de Roy, des bananes frites et une mystérieuse infusion.

– Je comprends pourquoi Roy a accepté votre sugestion de me laisser dormir. Comment vous y êtes-vous pris avec les autres?

– Mon charme inné, sans doute. Dites-moi, êtes-vous vraiment en colère ou juste de mauvaise humeur parce que vous n'avez pas eu votre café? demanda-t-il, sérieux cette fois.

– Vous ne pensez pas que j'ai de quoi être furieuse? C'était mon tour d'ouvrir la galerie ce matin, et à cause de vos fantaisies je ne l'ai pas fait. Contrairement à vous, je ne suis pas en vacances. Et je prends mes responsabilités au sérieux, même si ce n'est pas votre cas.

Une cliente fit un signe pour attirer l'attention de Julian. Se penchant en avant, les mains à plat sur le comptoir, ce dernier répliqua à mi-voix :

– C'est aussi mon cas, Elise. Je prends soin de la femme avec laquelle je dors. C'est pourquoi j'ai enlevé votre réveil ce matin en quittant votre lit. Pour que le sommeil dont vous aviez besoin ne soit pas interrompu.

La mâchoire lui en tomba, un son étranglé s'échappa de sa gorge :

– Vous ne dormez pas avec moi.

– Je l'ai fait cette nuit. Les meilleures heures de sommeil que j'aie eues depuis longtemps, ajouta Julian, orientant son regard vers la cliente qui le dévisageait avec insistance. Excusez-moi, trésor. Je vais vendre un tableau à cette femme.

Encore sous le choc, Elise les regarda s'entretenir devant une de ses peintures. Elle leva une main comme pour poser une question, la laissa retomber, lança ses deux poings en l'air et repartit en trombe dans l'atelier.

Elle resta plantée là quelques secondes, tourna les talons, fit un pas vers la galerie, puis s'immobilisa et fit demi-tour. Deux pas vers la porte arrière, et elle virevolta de nouveau pour faire face à la salle d'exposition.

– Est-ce une nouvelle danse de séduction?

Elle tordit son cou vers la voix moqueuse. Campé devant l'établi, les mains sur les hanches, Roy arborait un large sourire.

– Ça n'a rien de drôle, lâcha la jeune femme. Un fou vit maintenant avec nous, et tout ça par ma faute.

– Tu veux parler de Julian? Il n'est pas fou. Il s'adapte très bien.

– Tu ne dis ça que parce qu'il a avalé tes galettes de riz.

– Ça prouve que c'est un homme de goût, répliqua Roy après un rire, mais ça n'est pas ce que je voulais dire. Il va nous aider à agrandir la galerie et a quelques bonnes idées sur la façon de faire des économies sur les matériaux. J'ai d'abord pensé qu'il risquait d'être inutile quand j'ai su qu'il n'était pas artiste, mais j'ai changé d'avis en quelques minutes de conversation. Il peut vraiment apporter quelque chose au groupe.

S'il lui apportait quelque chose, pour l'instant, c'était plutôt des soucis, songea Elise.

La voix du perturbateur retentit justement derrière elle :

– Elise, cette dame veut acheter une de vos peintures. Prenons-nous les cartes de crédit?

Elle se retourna avec lenteur pour lui répondre d'un air enjoué, appuyant délibérément sur le nous qu'il avait employé.

– Oui, nous les prenons.

– Alors quelqu'un va devoir me montrer comment fonctionne cette petite machine.

– Vous voulez dire qu'il y a quelque chose que vous ne savez pas faire? s'enquit Elise, s'arrêtant à côté de lui.

Comme il ne s'effaçait pas pour la laisser franchir le seuil de la porte, elle leva vers lui un regard interrogateur.

Un sourire chargé de chaleur et d'intimité accompagna la réponse de Julian :

64

– Je suis toujours ouvert à de nouvelles expériences.

Il n'avait toujours pas bougé. Elle se glissa entre lui et l'encadrement de la porte et, appliquant ses mains contre le torse solide, elle le gratifia de quelques tapes consolatrices.

– Alors vous allez adorer apprendre à faire marcher cette petite merveille. Cela va vous ouvrir tout un monde nouveau.

– Vous l'avez déjà fait.

Le timbre grave de sa voix provoqua des frissons tout du long de sa colonne vertébrale. Elise s'insinua sans plus attendre dans le mince passage, retenant son souffle au frottement de leurs corps. Lorsque son regard croisa ensuite celui de Julian, elle lut clairement le désir qui le brûlait.

Le crépitement de l'agrafeuse brisa l'enchantement, et elle s'esquiva en vitesse. Eviter le tumulte de sensations qu'il faisait naître en elle devenait de plus en plus difficile, songea la jeune femme avec effroi.

Une fois le tableau payé, emballé et parti avec sa nouvelle propriétaire, Elise inscrivit la vente sur le livre de comptes. Ce faisant, elle réfléchit à la façon de parler à Julian. Il s'arrangeait toujours pour détourner le sens de ce qu'elle lui disait. Il fallait donc qu'elle se fasse d'une clarté telle qu'aucun malentendu ne soit possible. Julian faisait des suppositions en ce qui la concernait qu'il n'était en aucun droit de faire. Même s'il plaisantait juste, il devait cesser d'insinuer qu'il existait quelque chose entre eux.

Elle referma le livre et se retourna pour affronter Julian, bien que n'ayant opté pour aucune stratégie précise. Cela l'eut aidée s'il l'avait regardée au lieu de contempler la porte. Soudain il passa de l'autre côté du comptoir et se dirigea d'un pas décidé vers l'entrée principale.

Bouche bée, elle le vit sortir de la galerie, arrêter la femme qui allait y entrer et la forcer à faire demi-tour. Cette femme qu'elle reconnut aussitôt. Justine Garrison. La sœur de Julian.

A travers la porte vitrée, Elise vit ensuite l'homme désigner la galerie d'une main tandis qu'il tenait le bras de sa sœur avec l'autre. La discussion paraissait fort animée.

Le téléphone sonna sur le comptoir, et Elise s'arracha au spectacle de cette surprenante scène. Elle pesta intérieurement en reconnaisant la voix de son frère.

— Bonjour, Patrick. Que se passe-t-il?

Justine cligna des yeux en les levant vers son frère.

— Julian, si nous rentrions pour poursuivre cette discussion. Je vais attraper une insolation à rester ici.

Julian regarda le tailleur jonquille et le corsage imprimé, qui étaient plus appropriés à l'air conditionné de la Tour Stafford qu'à la chaleur étouffante du parking sans ombre.

— Ta limousine est encore plus près, répliquat-il. Si tu rentrais à Honolulu, maintenant? Tu peux dire à maman et aux filles que je vais bien. Je sais exactement ce que je fais.

— Et que fais-tu, exactement? s'enquit Justine, une main en visière sur son front.

— Je me détends, répondit l'homme après un regard vers la galerie. N'est-ce pas ce que je suis censé faire?

66

— A la résidence. Avec nous. Ou sur la plage. Pas au fin fond de l'île dans une colonie d'artistes. Quand tu m'as appelée pour m'annoncer ça, j'ai failli envoyer une ambulance te chercher et prévenir maman que tu avais perdu la tête.

— Heureux que tu t'en sois abstenue, fit-il sèchement. Comme si j'avais besoin de ça. Les femmes Stafford rôdant autour d'Elise.

Sa sœur dégagea sa main et le dévisagea.

— Elise? Tu veux parler d'Elise Callahan, la fille qui peint la fresque dans le hall? C'est donc ça? Tu as envie d'une petite aventure avec une fille d'ici? Si c'est de la compagnie que tu cherches, je connais cette femme extraordinaire que tu devrais rencontrer. Resina Bucham. C'est une brillante pharmacienne, très jolie et charmante.

Julian leva les yeux au ciel et se demanda un instant de combien il écoperait pour avoir étranglé quelqu'un de sa chair et son sang.

La patience restait plus prudente. Il prit une profonde et apaisante inspiration.

— Ça ne m'intéresse pas de rencontrer tes merveilles de filles, Justine. Et je n'ai pas de petite aventure avec Elise. Elle me rend simplement ces vacances supportables. Je t'ai juste prévenue pour que tu ne t'inquiètes pas et que tu n'envoies pas la police à mes trousses. Comme tu peux le constater, je vais parfaitement bien.

— Mais, Julian, ici? Ont-ils au moins l'air conditionné? Reviens à la résidence. Tu pourras te reposer correctement. Tu ne peux pas être à l'aise ici.

— Tu serais surprise...

Empêchant Justine de poser une question de

plus, il la prit par le bras et la conduisit vers sa limousine grise. Il fit signe au chauffeur de revenir, ouvrit la portière et aida sa sœur à grimper à l'intérieur.

— Je te rappellerai dans quelques jours, la rassura-t-il encore. Tâche de ne pas appeler le continent, d'accord? Je n'ai aucun besoin que toute la famille me traite comme un enfant de six ans.

— Ça n'est pas ce que je fais, Julian. Nous t'aimons et nous nous faisons du souci pour toi.

Julian voulut se redresser, mais elle lui agrippa la main :

— Elise Callahan doit être franchement unique pour que tu acceptes toutes ces difficultés.

Il lui pressa les doigts et sourit :

— Quelles difficultés?

Elise reposa le téléphone avec un soin tel qu'on aurait pu croire, à la voir, qu'il risquait de se briser entre ses doigts, mais elle ne le fit en réalité que pour se retenir de raccrocher avec fureur, ce qui n'aurait rien changé.

La sonnette de la porte lui fit lever les yeux. Elle capta le regard de Julian posé sur sa main; il avait vu son geste, de toute évidence.

— Je ne devrais sans doute pas vous critiquer, commença-t-elle, étant donné que nous ne vous payons pas, mais vous semblez ne pas avoir compris le but de la galerie. Nous sommes censés encourager les gens à y entrer et non les mettre dehors.

— Ma sœur voulait juste me dire que j'étais fou.

— Je vous l'ai dit aussi et vous ne m'avez pas chassée.

– Sachez, dit Julian en s'avançant, que je vous ai rendu un fier service. Si Justine avait mis le pied dans cette pièce et vous avait vue, elle aurait sur le champ endossé son habit d'entremetteuse. Elle et mes autres sœurs excellent dans ce rôle. Elle nous aurait déjà mariés et attendrait avec impatience la venue de notre premier rejeton, croyez-moi.

Elise pouffa puis se racla la gorge avant de parler.

– J'espère que vous avez rectifié son point de vue.

– Assez pour éviter qu'elle n'alerte ma bande de sœurs. Les femmes dans ma famille ont tendance à penser qu'elle savent mieux que moi ce que la vie doit m'apporter.

– Elles devraient faire connaissance avec mes frères. Ils ont ça en commun, marmonna Elise. Je viens d'avoir mon frère Patrick au téléphone. Il voulait m'inviter ce soir pour un dîner spécial, ce qui signifie qu'il m'a déniché un autre parti, qui comme par hasard sera assis en face de moi à table.

Julian fit courir un doigt sur le visage de la jeune femme.

– J'espère que vous avez refusé.

Elle s'écarta, déconcertée par l'effort de volonté que cela exigeait d'elle, attrapa le livre de comptes qu'elle tint contre sa poitrine comme un bouclier.

– J'ai dit que j'avais du travail, mais ça n'est pas une raison suffisante pour lui. Mes frères n'ont jamais considéré ma peinture autrement que comme un passe-temps.

– N'ont-ils jamais vu vos toiles? s'étonna Julian.

– Si, bien sûr. Ils trouvent ça très joli, mignon.

– Aïe. Je vois.

– C'est drôle, quand on y réfléchit. Nos deux familles veulent que nous nous arrêtions de travailler. La vôtre vous demande juste de prendre un peu de vacances, mais la mienne voudrait que j'arrête complètement pour me marier, avoir deux enfants et vivre béatement le reste de mes jours dans une maisonnette entourée d'une barrière blanche bien propre.

– Je peux prendre deux semaines de vacances sans que mon travail s'en trouve affecté. Mon travail et moi sont deux choses distinctes, tandis que votre art fait partie de vous. Ça n'est pas du tout la même chose.

Elise resta un moment les yeux dans le vague. Cet homme qu'elle connaissait à peine le comprenait mieux que ses propres frères...

– Michael continue d'espérer ma peinture n'est qu'une phase que je traverse et qui ne durera pas. Un peu comme la puberté.

– C'est un de vos frères?

– Oui, l'aîné. Il est devenu notre mère, père et dictateur à la fois quand nos parents se sont tués dans un accident de voiture. Il n'avait que dix-huit ans et c'était sa première année dans la marine. Se retrouver à cet âge soudain responsable de trois frères plus jeunes et d'une sœur de dix ans qui avait été blessée dans l'accident n'a pas dû être évident.

– Mais, vous étiez avec vos parents lors de cet accident?

– Mmm. Les garçons étaient partis au cinéma avec des amis et mes parents m'avaient emmenée à une soirée d'anniversaire. Un conducteur ivre a percuté notre voiture.

– Avez-vous été gravement blessée?

– Comme vous pouvez le constater, je vais bien, répliqua-t-elle, évitant délibérément toute une réponse directe.

– Vous savez, je comprends ce que Michael peut éprouver. Etre responsable de ma mère et de mes sœurs n'a pas toujours été facile. Mes sœurs n'approuvaient pas toujours mes décisions, pourtant il faut parfois savoir en prendre d'impopulaires.

– Faisaient-elles toujours ce que vous leur disiez de faire?

– Oh que non! Elle me tenaient tête!

– Et ces bagarres vous manquent, dit Elise en souriant.

– Vous pensez? Je me sens plutôt soulagé d'en être enfin débarrassé.

– Je crois que vous avez le même problème que Michael. Même quand j'ai eu l'âge d'aller au collège, il a voulu que je continue d'habiter chez Patrick et Stella, sa femme. Et il me surveille toujours. Il n'attend qu'une chose : que je tombe la tête la première pour pouvoir me relever en me disant : « Je t'avais prévenue ».

– Peut-être est-ce sa façon de montrer qu'il se soucie de vous.

– Peut-être. Et vous?

– Et moi quoi?

– La responsabilité de vos sœurs ne vous manque pas?

– Du tout. J'ai été le plus heureux des hommes quand la dernière de mes sœurs a été mariée.

– Tellement heureux que vous avez maintenant des insomnies.

– C'est parce que je travaillais trop. J'avais besoin d'une pause.

La sonnette de la porte retentit tandis que deux visiteurs entraient. Elise leur sourit puis déclara à Julian :

– Assez parlé problèmes familiaux. Mes frères vont finir par avoir raison si je ne m'occupe pas de la galerie.

– D'accord. Alors que voulez-vous que je fasse ?

La jeune femme secoua la tête.

– Je vous rappelle que vous êtes en vacances. Prenez ma voiture pour aller à la plage, si vous voulez. Je n'en aurai pas besoin avant six heures et demie pour aller à la Tour Stafford. Tenez, je vais vous indiquer les endroits les plus proches.

Julian lui prit des mains le stylo qu'elle venait d'attraper.

– Inutile. Je reste ici.

– Vous allez vous ennuyer, c'est sûr. Il y a un tas de coins magnifiques à voir, qui vous distrairont beaucoup plus que de rester à traîner ici.

– J'ai promis à Roy de l'aider, énonça simplement l'homme avant de se pencher pour l'embrasser, coupant court à toute protestation d'Elise de la façon la plus efficace. Nous nous verrons au déjeuner. Roy m'a dit qu'il préparerait quelque chose avec du tofu, des pousses de bambou, des champignons et je ne sais plus quoi.

Elle le regarda se diriger vers l'atelier. Elle se toucha le front pour vérifier si elle n'avait pas de fièvre. Cette sensation de flotter au-dessus du sol... Elle avait intérêt à redescendre et à s'ancrer solidement à la terre ferme sinon les deux semaines à venir allaient paraître éternelles.

5

ELISE fut étonnée de la facilité avec laquelle Julian s'intégrait à la maisonnée. Pendant qu'elle peignait ou tenait la galerie, il aida Roy et Wayne dans leurs travaux d'agrandissement et entreprit ensuite d'autres tâches de sa propre initiative. Ainsi la pelouse fut-elle tondue, la réserve de matériel d'art entièrement rangée et les fenêtres de la maison et de la galerie toutes lavées sans exception.

Il ne resta pas un instant inoccupé, déployant une énergie qui émerveilla la jeune femme et lui fit comprendre pourquoi il supportait si mal ces vacances forcées.

Il s'intéressa même à la fabrication des cadres, traînant autour de Roy quand il en trouvait le temps. Il se fit définitivement de Kate une amie en lui bricolant un mécanisme électrique capable de faire tourner lentement un de ses mobiles en cristal, dont les facettes captaient la lumière de la fenêtre. Sage précaution, il évita cependant de seconder Roy à la cuisine.

Devant une telle activité, Elise avait l'impression d'avancer au ralenti. Le manque de sommeil n'était pas étranger à sa torpeur. Dans l'après-midi, décidée à se donner un coup de fouet, elle alla se préparer du café dans la cuisine.

Espérant qu'une tasse ou deux la feraient tenir jusqu'au soir et même plus tard dans la nuit, la jeune femme se versait la première quand on prononça son nom derrière elle. C'était Julian. Cela la fit sursauter. Sa main fit un écart et du café bouillant gicla hors de sa tasse sur son autre main. A peine eut-elle lâché une exclamation de surprise et de douleur que l'homme fut à ses côtés.

— Nerveuse comme vous êtes, dit-il, une pointe d'irritation dans la voix, je ne crois pas que vous ayez besoin de café.

— Vous m'avez fait peur. Je vous croyais avec Roy et Wayne.

Il l'amena vers l'évier et ouvrit le robinet d'eau froide.

— J'étais avec eux. Je vous ai vue quitter la galerie, dit-il en tenant la main d'Elise sous le filet d'eau froide.

— C'est inutile. Je ne me suis pas brûlée.

— Votre peau est toute rougie. Laissez encore un peu couler l'eau dessus.

Plaquée contre l'évier par le long corps de Julian, elle n'avait guère le choix. La légère brûlure du café n'était rien comparée au feu qui courait dans ses veines. La sensation des doigts de l'homme enserrant sa main... Son pouls s'accéléra.

Fermant les yeux, elle se détendit, laissant retomber sa tête en arrière, contre l'épaule de Julian.

Il soupira. Abandonnant la main blessée, il glissa les siennes autour de la taille d'Elise sous son tee-shirt. Ce fut son tour de soupirer :

74

– Julian... Je ne pense pas que ça fasse du bien à ma main...

– Mais à moi si, murmura-t-il dans son cou. Je ne peux pas résister au plaisir de vous avoir dans mes bras.

– Il faut que je retourne travailler.

– Vous travaillez trop.

– Et c'est un homme qu'on a dû forcer à se reposer qui dit ça...

Relevant la tête, Julian relâcha son étreinte et fit pivoter Elise pour lui faire face, tout en la gardant contre lui.

– Pourquoi travaillez-vous si dur, Elise? A la mort de mon père, j'ai dû travailler sans relâche pour sortir l'entreprise du marasme dans lequel il l'avait laissée et pour subvenir aux besoins de ma mère et de mes sœurs. Mais vous, dans quel but travaillez-vous pratiquement pour quatre?

– Je ne travaille pas pour quatre. Les autres en font tout autant que moi.

– Vous tenez les comptes et supervisez à peu près tout, vous veillez à ce que tous vivent à l'aise à vos dépens, travaillez jusqu'à deux heures du matin, et vous plongez dans votre peinture dès que vous avez un rare moment de libre. Aucun de vos partenaires ne mène une vie aussi dure.

– Hum. Dans vos rapports avec vos sœurs, n'auriez-vous jamais constaté que, quand vous désiriez les voir faire une chose d'une certaine façon, elles prenaient systématiquement la direction opposée?

– Oh que si, acquiesça Julian avec un sourire.

– Eh bien voilà. Mon frère Michael a toujours considéré que vouloir faire une carrière artistique n'était pas un choix raisonnable. On m'a dit et redit que je ne pourrais pas vivre de ma peinture. Je pense le contraire.

– Je comprends très bien. Ce qui me gêne est que vous vouliez en faire trop. Auriez-vous des comptes de quelque sorte à rendre?

– A moi seulement, répondit Elise, abaissant son regard sur la ceinture que formaient les mains mouillées de Julian autour de sa taille. Il faut d'ailleurs que je retourne travailler, maintenant.

Julian insista pour l'accompagner chaque soir quand elle partait à la Tour Stafford. Elle eut beau essayer de l'en dissuader, il l'attendait chaque fois à côté de son minicar quand elle sortait de la maison. Sa présence ne la gênait pas pour peindre. Il lui arrivait de somnoler sur le banc, adossé au mur, mais en général ils discutaient.

La soirée suivant leur tête-à-tête dans la cuisine, Elise en avait appris plus sur les circonstances qui l'avaient obligé à prendre la tête des Industries Stafford à l'âge de vingt-deux ans et à lutter pour les remettre à flot. S'il avait eu un autre tempérament, songea-t-elle, peut-être n'aurait-il jamais été capable d'accomplir tout cela.

Elle eut l'impression, après que Julian lui eut raconté quelques anecdotes mettant en scène ses sœurs, que ces instants avec sa famille lui manquaient et que cela lui plaisait de se sentir indispensable aux siens.

Quelques questions finement posées lui permirent de savoir que ses insomnies avaient débuté peu après le mariage de sa plus jeune sœur, la dernière à quitter son aile protectrice. Curieuse réaction, mais Elise garda cette opinion pour elle.

76

La présence de Julian s'avéra agréable autant que stimulante, et elle s'habitua à cette étrange contradiction. Ils tiraient profit l'un comme l'autre de leur arrangement, lequel, à la surprise d'Elise, fonctionnait mieux qu'elle n'aurait cru.

Sauf quand Julian faisait irruption dans sa chambre au petit matin, incapable de trouver le sommeil.

Cela avait commencé la deuxième nuit. Elle s'était endormie aussitôt couchée. Fatiguée qu'elle était, rien n'aurait dû la réveiller qu'un tremblement de terre. Pourtant, quelque chose la tira des profondeurs de son sommeil. Ouvrant les yeux, elle distingua une silhouette assise au pied de son lit.

Julian. Encore en jean et torse nu. Tandis qu'elle le dévisageait dans la pénombre, il passa une main dans ses cheveux et soupira.

— Qu'y a-t-il? murmura-t-elle. Vous ne pouvez pas dormir?

— Pas là-bas. Pas sans vous.

Son désespoir contenu fit mal à la jeune femme. Elle sentit qu'il détestait se sentir ainsi désarmé contre ses insomnies. C'était un homme habitué à avoir le contrôle de tout dans sa vie, et cette incapacité à s'endormir le rendait furieux.

Après quelques secondes à observer son profil, Elise bascula ses jambes hors du lit et se leva. Les pans de sa chemise de nuit de coton retombèrent sur ses cuisses nues tandis qu'elle faisait un pas vers lui.

Il leva la tête pour la regarder, le visage toujours dans l'ombre. Puis baissa les yeux vers la main qu'elle lui tendait.

Il y plaça la sienne, se leva quand elle tira doucement. Elle recula, il fit une enjambée. Son regard ne la quitta pas tandis que, toujours à reculons, elle le conduisait dans le couloir puis dans la chambre qu'il venait de quitter.

S'arrêtant près du lit, Elise ordonna calmement :

— Allongez-vous.

— J'ai essayé, dit Julian en secouant la tête. Ça ne marche pas. Pourquoi croyez-vous que je sois venu chez vous? J'allais me glisser dans votre lit comme la nuit dernière, mais vous vous êtes réveillée.

Elle plaça ses mains sur les larges épaules et appuya.

— Ce lit est plus grand.

— Vous allez dormir avec moi ici?

— Je vais rester jusqu'à ce que vous soyez endormi.

— Non, c'est injuste. Je vous fais perdre des heures de sommeil.

— La vie n'est pas toujours juste.

Obéissant à la pression de ses mains, il s'étendit sur le matelas. Au lieu de l'imiter, Elise s'assit tout contre sa hanche et se mit à lui frotter la poitrine en un apaisant massage.

Du moins qu'elle pensait apaisant, songea Julian, que ce contact faisait vibrer plus qu'il ne le calmait.

La chambre était obscure et intime. Il couvrit la main d'Elise de la sienne.

— J'ai cherché ce que vous pouviez bien avoir pour triompher ainsi de mes insomnies.

— Et à quelle conclusion en êtes-vous arrivé?

— Ça n'est pas encore bien clair, mais si je peux m'endormir en votre présence, c'est sans doute que vous m'inspirez confiance. Le sommeil rend les gens vulnérables. Je dois me sentir en sécurité ave vous. Il n'y a pas tant de femmes que ça dont je puisse dire la même chose. La plupart de celles que je connais, y compris dans ma famille, auraient tendance à se servir dans mon portefeuille dès que j'ai les yeux fermés.

— Vous oubliez une chose, objecta Elise en retirant sa main : je vous ai moi aussi soutiré de l'argent pour la location de cette chambre.

Il la retint par le poignet :

— C'est différent. Vous avez été franche avec moi dès le début. Pas de subterfuges ni de jeux, pas de larmes de récrimination. L'honnêteté toute simple. C'est un changement rafraîchissant.

Sa voix était devenue somnolente.

— Alors vous croyez que vos ennuis avec les femmes sont la cause de vos insomnies?

— Non, articula Julian après un bâillement. J'ai eu des ennuis avec les femmes de ma famille aussi loin que je peux m'en souvenir, et ça n'a jamais affecté mon sommeil.

Ses doigts se relâchèrent autour du poignet d'Elise. Elle le libéra avec douceur et prit la main de Julian.

J'ai du mal à imaginer qu'une personne aussi gentille que Mme Garrison puisse être une source d'ennuis, dit-elle à voix basse.

Les yeux de l'homme se fermèrent, s'ouvrirent brièvement, puis se refermèrent.

— Elle est gentille et, Dieu merci, c'est maintenant le problème de Travis Garrison.

— Et vos autres sœurs?

— Le problème de leurs maris. Même ma mère est remariée. Je suis enfin libre.

Cette dernière remarque fut énoncée sans joie, songea Elise.

— Toutes les femmes ne comptent pas sur les hommes pour les entretenir. Il y en a qui veulent s'en sortir seules sans l'aide de personne, et surtout pas d'un homme, vous savez.

— Pfff! Je parie que vous croyez aussi au Père Noël.

— Oui, murmura-t-elle.

Elle croyait aussi aux fins heureuses, mais il n'y en aurait pas avec Julian. Il y aurait une fin, et elle ne serait pas heureuse. Du moins pas pour elle.

La poitrine de l'homme se souleva et retomba tandis qu'il prenait une profonde inspiration, sa tête s'enfonça mollement dans le moelleux de l'oreiller. Elise sourit. Sa mission était accomplie. Il s'était endormi.

Quand elle essaya de retirer sa main, il resserra ses doigts, refusant de la lâcher même dans son sommeil. Sans doute n'était-il pas encore totalement détendu. Elle décida d'attendre un peu.

Pendant cette attente, les paroles de Julian se remirent à lui trotter dans la tête. A l'entendre, toutes les femmes s'intéressaient de trop près à son portefeuille. Elise aussi avait reçu de l'argent de lui, pourtant il ne semblait pas la mettre dans la même catégorie que les autres femmes de son entourage.

Peut-être aurait-il mieux valu, songea la jeune femme. Comme ses frères, il ne comprendrait sans doute pas les raisons qui la poussaient à tant désirer la réussite, pour leur petite galerie comme pour son art. Acquérir son indépendance ne semblait hélas primordial qu'à ses yeux.

80

Elise redressa sa colonne vertébrale, remua pour trouver une position confortable. Elle secoua la tête. Ses frères auraient une attaque collective s'ils la voyaient en ce moment, c'était certain. Assise en pleine nuit au chevet d'un homme séduisant qu'elle connaissait à peine et auquel elle tenait la main, tout cela dans la pieuse intention de l'aider à s'endormir. Elle-même avait quelque difficulté à y croire.

Elle bâilla, peigna sa chevelure avec ses doigts. Encore quelques minutes et elle retournait dans son lit.

La chose suivante dont elle fut consciente fut qu'elle se réveillait à côté de Julian.

Lorsque ses paupières se soulevèrent, le soleil filtrait à travers les rideaux. Elise était allongée sur le côté, le corps ferme, solide de Julian contre son dos. Son bras lui enlaçait la taille. Elle ferma les yeux en sentant son souffle chaud contre sa nuque, les sens aussitôt en alerte.

A l'aide, gémit-elle intérieurement, luttant d'instinct contre l'émoi de son corps. Contre l'émoi de son cœur.

Aussi discrètement qu'elle put, Elise se glissa sous le bras protecteur puis hors du lit de Julian, se jurant de ne plus jamais se laisser apitoyer par cette paire d'yeux tristes et ensommeillés.

Le vœu avait été facile à formuler, mais fut difficile à appliquer quand Julian échoua de nouveau dans la chambre d'Elise juste avant l'aube du matin suivant. Incapable de résister à son besoin d'elle, elle le prit par la main, le reconduisit chez lui, et tout se déroula de façon identique à la nuit précédente.

En l'aidant à trouver le sommeil, cependant,

son temps de repos à elle se trouvait réduit et elle accumula durant la semaine une fatigue considérable.

Si bien que quand ils rentrèrent à la maison le dimanche à trois heures du matin, Elise était épuisée au point d'oublier toute prudence élémentaire. Un seule chose monopolisait son esprit embrumé à cet instant : dormir, abaisser ses paupières, sombrer dans un sommeil divin et réparateur.

Elle suivit Julian dans le couloir, puis dans sa chambre à lui au lieu d'aller dans la sienne.

Il ne s'en aperçut qu'au moment de déboutonner sa chemise.

Elise envoya promener ses sandales et s'effondra sur le rebord du lit. Elle attrapa un oreiller, le tapota plusieurs fois puis le remit à sa place. Enfin elle s'allongea d'un air satisfait.

– Que faites-vous ? demanda Julian, qui l'avait regarde faire d'un air hébété.

Elle tourna la tête vers le regard stupéfait.

– Plutôt que d'aller dans ma chambre, dormir trois minutes et me réveiller pour vous trouver au bout de mon lit, j'ai décidé d'éliminer quelques étapes et de venir directement ici.

Quelques secondes s'écoulèrent, puis il ôta sa chemise en disant :

– Ça me semble raisonnable.

Son ton dégagé fit froncer les sourcils à la jeune femme. Comme s'il était tout à fait naturel qu'ils aillent au lit ensemble ! Bon, s'il le prenait de façon aussi décontractée, eh bien elle aussi.

– Comptez-vous dormir tout habillée ?

Oh, elle aurait pu s'endormir même dans une armure, songea Elise.

82

— Pas le courage de bouger pour me changer, murmura-t-elle. Bonne nuit.

Julian acheva de se déshabiller avec le sourire.

Le matelas se creusa sous son poids quand il grimpa à son tour dans le lit. Il toucha légèrement Elise, la forçant à se retourner vers lui.

— Qu'y a-t-il? demanda t elle en rouvrant les yeux.

— Chut, chuchota-t-il en lui effleurant le front des lèvres. Tout va bien. Je voulais juste dire bonne nuit.

Elle n'eut pas le temps de le questionner plus : la bouche de Julian s'était déjà posée sur la sienne. Leur dernier baiser semblait à celui-ci vieux d'un siècle et sa retenue des jours précédents avait été pure torture, aussi goûta-t-il avec une concentration que rien n'aurait pu détourner ce moment tant attendu, et le fit-il durer. La jeune femme laissa échapper un soupir languissant, et le tendre assaut de l'homme redoubla d'ardeur. Son bras vint lui encercler la taille pour l'attirer contre sa solide poitrine, ses lèvres glissèrent avec délice sur sa peau satinée.

— Julian, souffla Elise, toute tremblante.

Se soulevant sur un coude, il la contempla. Ses doigts suivirent le contour de sa joue, descendirent vers son cou, puis plus bas. Il sourit quand elle ouvrit les yeux. Ils étincelaient de sensualité.

Il ne fallut pas longtemps à Julian pour défaire la boucle de sa ceinture, déboutonner le jean d'Elise et en dégager son chemisier.

— Julian... fit-elle d'une voix rauque. Vous oubliez notre marché.

— J'ai du mal à me souvenir que nous sommes censés ne pas avoir de liaison alors que nous dormons ensemble chaque nuit.

– Vous dites ça comme si nous faisions autre chose que dormir.

– C'est sans doute parce que j'en rêve. Je ne suis qu'un humain, trésor, j'ai eu envie de vous dès le premier jour.

Sa main chaude vola sous le chemisier sur la peau nue d'Elise, la fit frissonner de plaisir. Elle enfouit son visage dans le cou de son compagnon, ravalant un cri de désir.

– Il faut dormir, Julian.

Ses seins étaient pressés contre son torse, son corps souple enivrait ses sens. Il mourait d'envie de l'aimer et elle s'attendait à ce qu'il retourne gentiment au pays des rêves.

S'il avait réussi à réprimer son désir ces dernières nuits en échange d'un peu de sommeil, cette fois il n'était pas en état de pouvoir simplement fermer les yeux et s'assoupir.

Si au moins elle avait pu partager un peu de cet émoi, cela aurait suffit à le satisfaire. Pour le moment, en tout cas.

– Elise?

Mêlant ses doigts aux mèches brunes de celle-ci, il attira sa tête en arrière. Ses yeux s'ouvrirent avec lenteur. Le regard de Julian se noya dans leur profondeur bleutée.

Il prononça son nom, contempla ses lèvres humides entrouvertes, l'embrassa avec une ferveur non dissimulée, recherchant désespérément une manifestation quelconque chez la jeune femme et manquant de perdre le contrôle de lui-même quand elle poussa un long gémissement.

Les doigts tremblants, il déboutonna son chemisier et put bientôt caresser sa gorge nue et douce. Elle se tendit comme un arc, lui offrant ses hanches, menant à son paroxysme son désir déjà lancinant.

D'une main Julian les débarrassa du jean d'Elise, dernier obstacle entre eux. Elle ondula d'impatience, émit un son rauque et éloquent, et il sut que l'aimer ne pourrait qu'être une expérience comme jamais il n'en avait connue.

L'homme nicha sa figure dans le cou délicat, s'immergeant dans la senteur enivrante de sa peau. Ses mains parcoururent encore les délicieuses formes féminines tandis qu'il s'évertuait à trouver la force de ne pas continuer, la force de ne pas la posséder entièrement.

Peu à peu sa pression sur elle se relâcha et il roula sur le dos tout en la maintenant d'un bras contre lui. Elle appuya sa tête contre son épaule, posa une main sur son torse, qu'il recouvrit de la sienne.

– Il faut dormir, Elise.

– Je crois que ça n'était peut-être pas une si bonne idée, souffla-t-elle d'une voix calme. Ça serait peut-être mieux que je retourne dans ma chambre.

Le bras de Julian se resserra autour d'elle.

– Non, ça ne serait pas mieux.

Tandis que sa respiration se régularisait, il écouta le léger craquement des feuilles de palmiers dans le vent du dehors. Pourquoi avait-il tout arrêté? Alors que son corps était encore vibrant, fiévreux de leur étreinte, et qu'elle avait été, de toute évidence, prête à se donner à lui sans retenue...

Cela n'était pas la présence d'autres personnes dans la maison qui le dérangeait. Dans l'état où il se trouvait, il aurait été capable de lui faire l'amour en plein hall de gare.

Alors pourquoi avoir arrêté? La question galopait dans son esprit avec autant de vivacité que son sang courait dans ses veines. Puis une autre interrogation surgit sans crier gare :

Que diable était-il en train de lui arriver?

– Où allons-nous, Julian? demanda Elise, formulant inconsciemment sa propre question à voix haute.

– Je crois pouvoir dire que nous avons une liaison, dit-il avant d'inspirer profondément. Je ne vais certes pas me plaindre qu'on en ait voulu à mon argent cette fois.

Réflexion déplacée autant qu'idiote, réalisa-t-il en sentant Elise se figer dans ses bras.

– Elise, je...

– Endormez-vous, Julian. Ne dites plus rien. Je ne resterai que si vous vous endormez.

Déchiré par ce dernier échange, il douta d'y parvenir. Le regret, la frustration et le désir constituaient un mélange puissant et pas particulièrement générateur de sommeil.

Pourtant, puisque c'était la seule façon de garder Elise à côté de lui, il ferma les yeux avec application.

6

ELISE attendit. Malgré sa fatigue, elle savait qu'elle n'avait maintenant plus aucune chance de s'endormir. Elle venait d'être propulsée brutalement d'un monde magique de sensualité à la rude réalité.

Quand elle sentit enfin le bras de Julian se relâcher, elle leva prudemment la tête. Sa respiration était profonde et lente, son grand corps tout à fait détendu.

Elle se dégagea avec douceur de son étreinte devenue molle. Les pans de son chemisier s'écartèrent quand elle bascula ses jambes de côté pour se lever. Le souvenir des mains brûlantes sur sa poitrine la fit frissonner, lui rendant difficile la tâche de boutonner sa chemise.

Un dernier regard vers Julian avant de se diriger vers la porte. Dans le couloir, Elise tomba nez à nez avec Kate. Vêtue d'une petite robe fourreau bleue, celle-ci tenait ses sandales à la main. Ses longues boucles couleur de miel retombaient en désordre autour de son visage bronzé, et une lueur amusée dansait dans son regard d'ambre.

— Bon sang, Kate, s'exclama Elise à voix basse,

une main sur le cœur. Tu m'as fait une de ces peurs. Que fais-tu debout à une heure pareille?

— Je pourrais te retourner la question. Nous venons de rentrer avec Roy. Nous avons fait une grande promenade sur la plage en revenant du cinéma à Honolulu. Et toi? Tu étais allée border notre nouveau locataire?

Elise gagna sa chambre en quelques enjambées.

— Bonne nuit, Kate.

— Bon, très bien, je ne m'occuperai pas de tes affaires. Mais je tiens tout de même à te dire que nous sommes tous heureux pour toi.

La main sur la poignée de sa porte, Elise dévisagea Kate.

— De quoi veux-tu parler?

— De Julian. Et de toi. Il est temps que tu réalises que la vie ne consiste pas seulement à gagner de l'argent.

— Sois gentille, Kate, veux-tu? Evite de me parler d'argent pour l'instant, d'accord? Ce mot m'insupporte.

— Depuis quand? Tu n'as pas eu d'autre préoccupation que gagner de l'argent depuis que nous avons ouvert la galerie.

Une note de ressentiment avait pointé dans la voix de Kate: Elise fronça les sourcils en s'en apercevant.

— Il me semblait que nous voulions tous que la galerie soit une réussite.

— Nous le voulions tous en tant qu'artistes. Rapporter de l'argent n'est pas nécessairement notre priorité.

— Le fonctionnement de la galerie nécessite de l'argent, et c'est elle qui nous permet de peindre et de progresser dans notre art. Et pour avoir le toit qui nous abrite et de quoi nous nourrir, l'argent est indispensable aussi.

Kate étouffa un bâillement.

– Je croyais que ce mot t'insupportait.

– Je suis trop fatiguée pour continuer à discuter de ça. Je vais me coucher.

Si Kate fit un autre commentaire, son amie ne l'entendit pas, car elle s'engouffra dans sa chambre et s'y enferma.

Dormir était exclu. Trop de choses lui trottaient dans la tête. Assise sur le matelas, elle réfléchit à sa conversation avec Kate. Découvrir que ses amis la croyaient uniquement intéressée par l'argent était une révélation alarmante.

Et Julian semblait penser la même chose.

Eh bien, il avait tort, et les autres aussi. L'argent n'était pour Elise qu'un moyen pour arriver à ses fins. Le paiement de ses travaux lui servait à pouvoir continuer son art. C'était aussi la preuve que l'on estimait professionnellement son travail.

Ses lèvres se tordirent d'elles-mêmes en un sourire. Peut-être ressemblait-elle en cela à ses frères, finalement. La réussite financière était la seule que comprenaient et reconnaissaient Michael et les autres Callahan. Gagner de l'argent avec sa peinture était une façon de donner à leurs yeux une valeur à ce qu'elle voulait faire.

Et peut-être aussi à ses propres yeux. Elle aurait pu rester avec Michael à Maui à attendre le prince charmant, mais ça ne l'intéressait pas. Elle voulait gagner sa vie, prouver qu'elle en était capable, à elle-même comme à ses frères.

Son regard se posa sur la porte, comme s'il avait eu le pouvoir de la transpercer ainsi que celle de Julian, de l'autre côté du couloir...

Si cela pouvait le réfréner dans son ardeur à vouloir une aventure avec elle, cela ne la dérangeait pas qu'il la prenne pour une dévoreuse de billets de banque. Idée qui l'aurait offusquée en temps ordinaire. Elle ne devait pas perdre de vue l'objectif qu'elle s'était fixé dans la vie, et que Julian Stafford avait le don de lui faire oublier rien qu'en l'effleurant.

Le sommeil ne viendrait pas cette nuit, autant valait se lever. Elise abandonna sa chambre pour l'atelier. Wayne était parti peindre un paysage pour le week-end, aussi eut-elle le plaisir de trouver le local vide.

Elle ne toucha pas à son chevalet; tenter de peindre eut été une pure perte de temps. Encore sous le charme des moments avec Julian, la jeune femme se mit à arpenter la pièce. Il lui fallait chasser cette magie de sa mémoire, se rappeler qu'il n'était que de passage ici. Il n'y avait aucun avenir pour eux.

Elle se répéta cela, encore et encore, mais sans parvenir à effacer sa crainte d'éprouver plus qu'une simple attirance physique pour lui. Elle ferma les yeux tandis que la vérité s'imposait à elle, la laissant toute tremblante et hébétée.

Elle était en train de tomber amoureuse de Julian Stafford.

Elle n'eut guère l'occasion de s'habituer à cette idée : la voix de l'intéressé s'éleva derrière elle, un peu impatiente.

— Elise, je vous ai cherchée partout. Qu'est-ce que vous fabriquez ici ?

Elle tourna sur elle-même. Il se tenait dans l'embrasure de la porte, avait juste enfilé un jean dont le haut n'était pas boutonné. Sa chevelure

90

était en bataille, son regard ensommeillé foudroyait la jeune femme.

– Retournez vous coucher, Julian, dit-elle d'un ton las.

– Pas sans vous.

– Je veux être seule. J'ai besoin de réfléchir.

Julian se frotta les yeux et marmonna :

– Ça ne peut pas attendre notre réveil?

– Non. Ça ne marche pas, Julian.

– Ça marcherait si vous reveniez vous coucher.

– Et ensuite?

– Ensuite venez vous coucher, c'est tout.

Elise se détourna sans répondre, et il ajouta :

– Si c'est à cause de ce qui s'est passé cette nuit, je promets que je ne vous toucherai pas. Mais revenez vous coucher.

– Non.

– Non?

Avisant le canapé en rotin placé entre l'entrée et un des chevalets, elle repoussa le tas d'affaires qui le jonchaient et s'y assit.

– Je ne vous ai pas rendu un grand service en restant avec vous jusqu'à ce que vous vous endormiez, dit-elle. Ça a été une aide temporaire, mais dans le fond votre problème est toujours là.

Julian vint se poster devant elle, fit voler une veste et un carnet de croquis au loin, et prit place sur un coussin du canapé, dont un des ressorts jaillit et s'enfonça dans sa cuisse. Et dire qu'un confortable lit les attendait dans la maison, pesta-t-il en son for intérieur...

– Que se passe-t-il?

Elle faillit céder en sentant l'épuisement pointer dans sa voix, mais résista :

– Au lieu d'ignorer le problème, nous devrions rechercher la cause de vos insomnies.

– La réponse est simple. Vous avez quitté la chambre.

– Je ne parlais pas de maintenant. Mais en général. Si nous n'essayons pas de trouver la cause de vos insomnies, vous en aurez toujours quand vous retournerez à San Francisco.

Une tige de rotin lui cingla la nuque quand il pencha sa tête en arrière.

– Faut-il vraiment en discuter maintenant? gémit l'homme en frictionnant ses vertèbres cervicales.

– Avez-vous un meilleur moment?

– Oui, par exemple dans quelques heures, quand le soleil se sera levé.

Elise allait opposer ses arguments quand Julian se leva subitement et se pencha pour la soulever dans ses bras.

– Mais, que faites-vous?

– Je vais au lit et vous aussi. Nous discuterons tant que vous voudrez après avoir dormi.

– Ça ne résout rien, protesta-t-elle en s'accrochant à son cou.

– Vous plaisantez? Ça résout tout. C'est la seule façon de vous ramener au lit.

Elle se pencha en avant pour éviter de se cogner dans le chambranle de la porte.

– Je parlais de vos insomnies. Elles ne vont pas disparaître comme ça.

– Peut-être, mais rester éveillé ne me serait pas d'un plus grand secours.

Elise ne sut que répondre à cela. Bientôt Julian ouvrit la porte de sa chambre. Après l'avoir doucement allongée sur le lit, il prit la même position tout contre elle et la serra dans ses bras. Il s'endormit dans la minute qui suivit.

Elle sentit à son tour ses paupières s'alourdir. C'était la seconde bataille qu'elle perdait cette nuit. La première ayant été de nier ses sentiments pour Julian. Elle était en train de tomber amoureuse d'un homme qui la traitait comme un nounours bien pratique avec lequel il pouvait dormir quand il avait besoin de compagnie.

Avec un profond soupir, Elise ferma les yeux.

Quand elle les rouvrit plusieurs heures plus tard, un son inhabituel parvint aussitôt à ses oreilles. Roulant de l'autre côté, elle découvrit Julian, debout, qui achevait de boutonner son jean.

Il sifflotait doucement.

Elise le fusilla du regard, retourna à sa position initiale et écrasa l'oreiller sur sa tête, écœurée. Ce type arrivait à être frais et dispos en n'ayant quasiment pas dormi, alors qu'elle... En temps normal, déjà, elle était d'une humeur redoutable tant qu'elle n'avait pas absorbé sa première tasse de café. Encore une raison pour laquelle cela ne pourrait pas coller entre eux.

Julian la contempla avec un sourire. Il contourna le lit, posa une main sur sa hanche et la secoua jusqu'à ce qu'elle lui laisse la place de s'asseoir.

— Il est l'heure de se lever, trésor.

— Allez-vous-en, dit-elle d'une voix étouffée.

Pouffant, il changea de tactique, et glissa sa main jusqu'à la taille d'Elise.

— Nous avons une grande journée devant nous, qui exige que vous soyez debout et habillée. J'aurais bien changé d'avis en me réveillant dans vos bras, mais j'avais déjà fait mes projets.

Ecartant la main importune de sa taille, elle risqua un œil de sous l'oreiller.

— Quels projets?

— C'est une surprise.

— Je n'aime pas les surprises.

— Vous aimerez celle-là, affirma Julian, laissant courir un doigt sur la mâchoire féminine. Je vais vous chercher une tasse de café pendant que vous vous habillez.

— Je suis déjà habillée, dit-elle, repoussant sa caresse.

— Vous étiez habillée. Je vous ai retiré votre jean pendant que vous dormiez.

D'un bond elle fut sur son séant et découvrit ses jambes nues.

— Et pourquoi ne pas avoir enlevé ma chemise, tant que vous y étiez? fulmina-t-elle.

— J'admets que c'était tentant, mais je savais que vous seriez folle de colère si je vous retirais tout. Comme ça vous ne l'êtes qu'à moitié.

— C'est vous qui êtes fou. Fou à lier. Et cessez de me toucher, enfin, protesta Elise en repoussant la main de Julian.

— Je ferais tout pour vous, trésor, mais pas ça. Vous toucher m'est devenu aussi nécessaire que respirer.

Ses doigts frôlèrent tendrement la joue d'Elise, puis il se leva. La vue de son visage mal réveillé, de ses longues jambes hâlées allongées sur le drap blanc, fut près de lui faire oublier ses projets pour la journée. Seigneur, que la tentation était grande...

Mais s'il avait retenu une chose importante de son activité d'homme d'affaires, c'était qu'une bonne stratégie était toujours plus rentable

94

qu'une précipitation irréfléchie, qui risquait souvent de tout anéantir à la base. Or il avait l'intention de gagner cette bataille.

– Voulez-vous votre café avant ou après la douche?

– Après. Ensuite nous aurons à parler. Nous ne pouvons pas continuer comme ça.

Empoignant la main d'Elise, Julian la hissa hors du lit. La pressant contre sa chair en émoi, il enserra ses hanches douces entre ses mains et répliqua d'une voix rauque :

– Non, nous ne pouvons pas continuer comme ça. C'est pourquoi j'ai fait des projets pour aujourd'hui. Il va y avoir quelques changements d'ici ce soir.

Son grand corps contre le sien anéantit toute protestation de la part de la jeune femme. Se laisser emporter par le torrent de sensations qu'il produisait au plus profond de son intimité, tel était le seul désir d'Elise. Tandis qu'elle rejetait sa tête en arrière pour le regarder, elle songea qu'elle ferait mieux de profiter de ce bonheur tant qu'il était présent. Qu'au lieu de se fermer, elle devrait s'ouvrir à la joie qu'il lui procurait.

Pensée complètement folle et à l'opposé de la ligne qu'Elise s'était fixée, pourtant c'est ainsi que son cœur lui parlait.

Julian accepta cette invitation muette, se penchant pour l'embrasser. Seigneur, cette femme était un puits de sensualité, elle l'embrasait à une telle vitesse... Trop vite il sentit que son sang bouillonnait, qu'il allait perdre le contrôle. Il avait décidé autre chose, il fallait qu'il s'y tienne.

L'homme relâcha son étreinte, plaça ses mains sur les épaules d'Elise et la fit pivoter jusqu'à la placer en face de la porte.

– Vous avez dix minutes, dit-il. Le temps que je mette ce dont nous avons besoin dans votre mini-car.

Résistant, elle plaqua la paume de sa main contre le montant de la porte et raidit son bras.

– J'ignore vos projets, mais vous n'auriez pas dû me compter dedans. J'ai dit à Kate que je la remplacerais pour lui permettre d'aller chercher des fournitures à Honolulu. Et puis j'ai le livre de comptes à faire avant la fin de la journée.

– Les fournitures de Kate seront livrées par le magasin, rétorqua Julian en la conduisant dans le couloir, et le livre est à jour. Il vous reste huit minutes pour vous préparer.

Il était sérieux, réalisa-t-elle.

– Vous avez mis le livre à jour?

– Je dirige mon entreprise depuis l'âge de vingt-quatre ans, trésor. Vos comptes n'ont pas été un problème.

Après une brève hésitation, elle s'enquit avec calme :

– Pourquoi faites-vous tout ça, Julian?

– Ça n'est pas si compliqué. Je veux que vous preniez cette journée de vacances.

– Même si je ne veux pas?

– Vous en avez besoin. Vous n'avez quasiment pas cessé de travailler depuis que je vous connais. Si vous ne prenez jamais de pause, votre travail va devenir une drogue comme pour moi.

– Ce n'est pas la même chose.

– Ça pourrait l'être. Vous travaillez trop depuis trop longtemps, comme je l'ai fait. On m'a forcé à prendre des vacances, et maintenant c'est moi qui vous force à vous détendre une journée.

Elise ne put s'empêcher d'y réfléchir. Après

tout, cela n'était qu'une journée. Et une journée avec Julian. Cela valait le coup de travailler plus ensuite. Et puis ce seraient peut-être les seuls instants qui lui restaient avant qu'il ne parte.

— Ne vous a-t-on jamais dit que vous étiez un homme extrêmement insistant? s'enquit-elle en plissant les yeux.

— Une fois ou deux, c'est possible. L'heure avance, trésor. Que décidez-vous? Une journée de bonheur au soleil avec votre serviteur prêt à vous obéir au doigt et à l'œil, ou une journée derrière le comptoir de la galerie?

Elle ne put masquer son sourire:

— Combien de temps me reste-t-il pour cette douche?

Ravi de sa victoire, Julian lui attrapa la taille, quand une rude voix masculine retentit.

— Otez vos mains de là!

D'un bond ils s'écartèrent l'un de l'autre, regardèrent en direction de la voix, Julian avec sa main toujours posée sur le bras d'Elise.

Un homme bâti comme un bulldozer était campé au bout du couloir; ses yeux lançaient des éclairs. Quelques maigres centimètres séparaient le sommet de son crâne de l'arrondi de la porte, et il ne restait guère d'espace de chaque côté non plus.

Il s'avança vers le couple.

— J'ai dit, ôtez vos mains d'Elise. Tout de suite.

Julian obtempéra, mais après s'être placé entre la jeune femme et le nouveau venu.

— Qui êtes-vous donc?

— Je suis celui qui va vous pulvériser en tout petits morceaux.

Julian repoussa en arrière la jeune femme qui tentait de l'écarter.

– Vous semblez en effet en avoir les capacités, observa-t-il sans se départir de son calme. Auriez-vous l'obligeance de me donner vos raisons, avant de m'arracher la tête?

L'homme écarquilla des yeux surpris, pris au dépourvu par une telle réaction. Echappant à la surveillance de Julian, Elise se glissa entre eux deux.

– Patrick, arrête. Ce n'est pas ce que tu crois.

– Bon sang, Elise. Et que devrais-je croire en te trouvant à moitié nue avec ce gigolo en train de te tripoter?

Julian frémit d'indignation.

– Gigolo?

Elise se dévissa la tête pour lui lancer un regard qui le réduisit au silence. Puis revint à son frère.

– Que fais-tu ici, Patrick?

– Michael a appelé hier pour me dire que tu n'avais pas téléphoné depuis une bonne semaine. Je lui ai dit que je t'avais eue, moi, au bout du fil dans la semaine, mais tu le connais, il a voulu que je vienne m'assurer sur place que tu allais bien. Et il semble que je sois arrivé juste à temps, conclut-il d'un air accusateur pour sa sœur aux jambes nues.

– Ne commence pas, Patrick, l'avertit celle-ci d'une voix que la colère rendait dure, mais posée. Je n'ai pas besoin d'un de tes sermons.

– Ce n'est pas mon avis. Quand Michael va entendre ça, il va sauter au plafond.

– Non, et pour la simple raison que tu vas lui dire que je vais bien et rien d'autre.

– Je viens de te voir sortir à moitié nue de la chambre avec ce type et je ne suis pas censé penser qu'il se passe quelque chose entre vous deux?

– Tu vas devoir penser ce que tu veux, Patrick. Pendant que tu te livres à cet exercice rare, rappelle-toi que j'ai vingt-six ans, et non six. Michael m'a promis de me laisser le temps de prouver que je pouvais réussir seule, alors arrière. J'ai subi l'examen semestriel auquel vous tenez tous tant, et Michael a tous les résultats attestant de mon excellente santé. Alors toi, Michael, Sean et Shannon n'avez aucun droit d'intervenir dans ma vie.

Se penchant en avant jusqu'à ce que leurs nez se frôlent, Patrick gronda :

– As-tu dormi avec ce type, Elise ?

– Oui, répondit-elle sans hésiter.

Son frère sembla véritablement enfler de fureur, observa Julian avec fascination. Désamorcer deux colères d'Irlandais n'allait pas être commode, mais il fallait essayer. Malgré le net avantage en poids du frère d'Elise, il s'interposa entre eux.

– Calmez-vous, commença-t-il, aussi paisible que possible. Elise dort avec moi, mais pas de la façon que vous croyez.

– Inutile d'essayer de lui expliquer, intervint-elle platement.

Il lui lança un coup d'œil par-dessus son épaule.

– Elise, j'ai trois sœurs, je comprends ce qu'éprouve votre frère. Je serais prêt à mordre aussi si je pensais qu'il y a du louche autour d'une d'elles, expliqua-t-il avant de se retourner vers Patrick. Nous avons dormi dans le même lit, mais nous n'avons pas fait l'amour. Je souffre d'insomnies passagères, et Elise m'aide à résoudre ce problème. C'est tout.

La jeune femme tressaillit dans son for intérieur tandis que Julian décrivait en d'aussi simples termes leur relation. Un simple remède local, voilà ce qu'elle représentait pour lui...

Patrick étudia Julian pendant un long moment de tension.

– Nous allons en discuter. Va t'habiller, murmura-t-il à sa sœur. Je vais régler ça.

Frémissante de rage, elle regarda Julian s'éloigner derrière Patrick. Elle ignorait contre lequel des deux elle était le plus en colère, et peu importait. C'était suffisamment pénible d'être traitée par ses frères comme si elle avait besoin d'un chaperon, et maintenant Julian venait en rajouter en faisant des excuses pour elle, en défendant son honneur et en expliquant à Patrick une situation qui ne les regardait qu'eux!

Elise fit claquer la porte de sa chambre dans son dos, ce qui ne fit que mettre ses nerfs encore plus à vif. Un bouton lui resta dans les mains tandis qu'elle s'escrimait dessus avec impatience. Elle ouvrit un de ses tiroirs en grand et mit tout son contenu soigneusement plié sens dessus dessous avant de trouver ce qu'elle cherchait.

Julian s'était arrangé pour qu'elle ait une journée de congé, c'était donc l'occasion de partir loin. Loin de lui et de son frère.

7

SOUS un soleil déjà haut, Elise marchait lentement le long de la plage. Les vagues déferlaient sur ses pieds nus jusqu'à ses chevilles, s'éloignaient pour revenir avec plus de force et repartaient de nouveau. La brise incessante agitait la longue frange du châle bleu qu'elle avait noué bas sur ses hanches et s'engouffrait dans sa chevelure.

Au bout de deux heures de natation et de promenade dans l'Anse du Requin, sa colère s'était enfin dissipée. Mais, curieusement, à peine eut-elle disparu qu'elle lui manqua. Un sentiment de vide et solitude la remplaça, qui lui parut autrement plus difficile à supporter.

Elle leva son visage vers le soleil, absorbant sa chaleur réconfortante. Elle avait la plage pour elle, avec pour seuls compagnons quelques oiseaux fouillant le sable de leur bec en quête de quelque nourriture.

Une mèche de cheveux lui balaya le visage. Elise leva une main pour l'écarter et sursauta en sentant des doigts chauds se refermer autour de son poignet.

Elle tourna aussitôt la tête. Julian, bien sûr. En

maillot de bain blanc et chemise Hawaienne blanche et chocolat, il portait des lunettes de soleil à la place de ses lunettes habituelles. Le vent emmêlait ses cheveux, dont les reflets blonds ressortaient sous le soleil intense.

Elle dégagea sa main. Puis dit après un long instant de silence :

– Puisque vous êtes entier et sans blessure apparente, j'en déduis que Patrick et vous avez fini par bavarder gentiment.

– Ça a été très instructif.

– J'imagine.

– Il a fallu un certain temps, mais je crois que nous nous comprenons, votre frère et moi.

– Eh bien... Pour quelqu'un d'aussi compréhensif, comment se fait-il que mon besoin d'assumer moi-même mes combats contre ma famille vous échappe? J'ai bien plus l'expérience d'eux que vous.

– Vous n'aurez plus à vous battre toute seule contre eux.

Incertaine du sens de cette remarque, Elise reprit sa marche. Julian lui emboîta le pas, ce qui ne la surprit pas.

– Comment m'avez-vous trouvée?

– Votre frère m'a indiqué les endroits où vous aviez pu aller à pied, puisque vous aviez laissé le minicar. C'est la seconde plage que je fais. L'Anse du Requin, c'est bien cela?

– Oui.

– Charmant nom pour un endroit où venir nager.

Une vague aspergea la cuisse de la jeune femme.

– Si vous alliez droit au but, plutôt? lança-t-elle.

102

– Que voulez-vous dire?

– La raison pour laquelle vous êtes venu me chercher. Pour faire vos adieux.

– Mes adieux? répéta-t-il, s'arrêtant pour la regarder. Pour aller où?

– Ce que j'en sais? Dans votre résidence de luxe. Chez votre sœur. A San Francisco...

Il leva une main pour enrouler une mèche d'Elise autour de son doigt.

– Je suis parfaitement heureux de notre arrangement actuel. C'est un peu surpeuplé à mon goût, mais je n'ai pas l'intention de partir.

– Je crois que vous devriez, dit-elle, soutenant son regard.

– Pourquoi? J'ai la permission de votre frère, souligna Julian avec un sourire, et mon loyer est payé. Pourquoi partirais-je?

– Parce que je le veux.

Il retira ses lunettes. Sa mâchoire se crispa quand il baissa les yeux vers elle.

– Votre frère m'a au moins donné une raison de vouloir mon départ.

– Laquelle? La menace de vous casser la figure si vous osiez toucher à un seul de mes cheveux, ou celle de ma si délicate santé?

– Il ne m'a rien dit que je ne sache déjà. A savoir que vous étiez une femme unique qui ne méritait que ce que la vie pouvait offrir de meilleur. Il n'a pas eu à me convaincre.

Elise prit une profonde inspiration avant de se lancer :

– La raison pour laquelle je veux que vous partiez est que je veux que vous restiez.

Abasourdi, il agrippa la mèche entortillée autour de son doigt.

– Elise? Que dites-vous?

– Si vous restez, répondit-elle avec une calme conviction, nous deviendrons amants.

– Cela serait-il si affreux?

– Je pourrais prétendre que je ne veux pas faire l'amour avec vous, mais nous savons tous les deux que c'est un mensonge. J'ai envie que vous restiez, mais ce n'est pas si facile. Quand vous me touchez, j'arrive à me convaincre sans problème que nous devrions simplement jouir de notre bonheur présent, tant que vous êtes là. Des tas de gens ont des aventures et les acceptent comme une chose normale de l'existence, après tout. Vivre au jour le jour a un certain attrait, mais tout a un prix. Et je ne suis pas sûre d'être capable de payer ce prix une fois que vos vacances seront terminées.

Sa franchise le bouleversa. Elle avait avoué la force de son désir pour lui... Le moins qu'il pouvait faire était de se montrer aussi honnête qu'elle.

Ses mains vinrent encercler le visage d'Elise.

– Je pourrais vous promettre la lune, les étoiles, et l'éternité, mais je ne sais pas plus que vous quelle est cette chose entre nous. Je suis prêt à écarter vos frères un à un pour nous permettre de découvrir ce qui nous arrive et détruire vos craintes. Je n'ai jamais rien éprouvé de tel pour une autre femme, Elise. Je ne savais même pas qu'il pouvait exister un sentiment aussi puissant. En tout cas je ne peux pas m'éloigner de vous, même si c'est ce que vous voulez que je fasse.

Elle leva les mains pour lui enserrer les poignets avec force.

– Mais vous finirez par le faire. Votre travail,

votre famille, sauf Mme Garrison, votre vie, tout ce qui vous concerne est à San Francisco.

Julian ne voulait pas y penser, pas quand il la touchait.

— Je suis avec vous en ce moment, murmura-t-il.

— Alors vous pensez que je devrais vivre l'instant présent et ne pas me soucier de demain? L'homme secoua la tête.

— Je veux juste dire que je suis là maintenant, que nous sommes ensemble maintenant. J'ignore ce que demain nous apportera, mais ce qui se passe maintenant dépend de nous seuls.

— Et que se passe-t-il, maintenant?

— Avant l'arrivée de votre frère, nous allions passer la journée ensemble. Je n'ai pas changé mes projets.

Elle sentit les muscles des avant-bras de Julian se durcir quand il l'attira contre lui.

— Vous ne m'avez toujours pas dit quels étaient ces projets.

— Pour commencer, vous embrasser.

Son souffle chaud lui balaya la peau. Se levant sur la pointe des pieds, Elise demanda doucement :

— Et ensuite?

— Ensuite, murmura-t-il contre ses lèvres, nous faisons disparaître le reste du monde.

Et le miracle se produisit. Dès que leurs bouches se furent jointes. Un désir unique jaillit entre eux, brûlant et vibrant, criant d'évidence.

Les mains de Julian parcoururent avec ferveur le dos d'Elise. Pressant ses hanches contre lui, il suivit des lèvres le tracé de sa joue, son cou à la douceur satinée. Sa saveur, son parfum l'enivraient. Tandis que son pied se glissait entre ceux de sa compagne, sa cuisse fit de même entre ses jambes. L'urgence de son désir le fit trembler ; elle gémit doucement.

Le vent faisait voler la chevelure d'Elise, dont les mèches balayaient la peau de Julian comme autant de filaments de soie le liant à elle, mais moins sûrement que les liaient leur passion.

Elle murmura son nom, la voix cassée par l'émotion.

Il recula pour voir son visage, sondant les profondeurs sans fin de ses yeux clairs sans bien savoir ce qu'il y cherchait. Le contrôle de la situation lui avait définitivement échappé. Il n'avait pas prévu d'en arriver là en venant la retrouver ici. Patrick avait sous-entendu que certaines raisons le poussaient avec ses frères à vouloir la protéger, et Julian avait décidé de se les faire dire par Elise. Mais maintenant toute pensée rationnelle avait été chassée par le lancinant besoin de se perdre en elle...

– Ouvrez ma chemise, commanda-t-il.

Leurs regards soudés, elle posa ses mains sur le torse solide. Ses doigts tremblants se battirent avec les boutons et le vent pour venir à bout de leur tâche.

– Maintenant enlevez-la.

Elise fit descendre la chemise le long des bras de Julian. Le vent l'emporta à peine fut-elle tombée sur le sable.

Plongeant dans son regard incandescent, il dénoua d'un mouvement de poignet le châle, qui alla voler plus loin.

Les jointures de ses doigts effleurèrent la mâchoire féminine, descendirent au creux de son cou, puis avec une lenteur insupportable vers le vallon délicieux qui séparaient les deux monts de sa gorge. Souriant dans ses yeux, il glissa son index sous le haut de bikini et la regarda avec fascination abaisser les paupières et rejeter sa tête en arrière quand son doigt rencontra la pointe durcie de son sein.

Seigneur, jamais il n'avait désiré une femme avec une telle force... Ses mains, avec une liberté qu'il ne leur avait jamais connu, partirent à la découverte de ses courbes délicieuses, savourant le soyeux de sa peau. Elle donnait et recevait le plaisir sans aucune retenue, emportée dans le même tourbillon de sensations folles que lui.

Le haut de bikini alla choir sur le sable. Julian contempla Elise, ébloui par l'éclat du soleil sur sa chair nue. Elle ressemblait à une déesse païenne, avec sa chevelure noire qui voletait en longs pans devant son visage. Il se prit à envier ces mèches de la toucher si intimement.

Elle leva la main et, comme lui, lui frôla la mâchoire du bout des doigts avant de descendre vers son torse. Un son rauque de virilité monta de la gorge de Julian, et il l'enlaça.

Quel que fut le rapprochement de leur étreinte, cela n'était pas assez. Quelle que fut l'ardeur de leur baiser, cela ne suffisait pas. Oh, jamais il n'arriverait à avoir assez d'elle, songea-t-il.

La soulevant dans ses bras, Julian courut hors de l'eau vers les palmiers qui bordaient la plage. Il avait repéré en arrivant la serviette d'Elise étalée dans un endroit protégé de la plage par le large tronc d'un palmier et quelques rochers. Le sable y était encore chaud malgré l'ombre.

Il l'allongea sur la serviette avant de se pencher vers elle :

– Si vous ne voulez pas aller plus loin, dit-il dans un souffle, il faut me le dire maintenant, Elise. Je me suis retenu aussi longtemps que j'ai pu. J'ai tellement envie de vous, Elise.

Elle lui toucha le visage :

– Je le veux aussi.

Il couvrit la main de la jeune femme de la sienne, en appliquant la paume contre sa joue.

– Vous êtes sûre ? Je peux arrêter tout de suite, à la seconde. Ça ne serait pas facile, mais si vous n'êtes pas prête je peux arrêter. Si je vous touche encore, je ne pourrai plus rien arrêter.

– Julian, murmura-t-elle avec un soupçon d'impatience.

– Quoi ? Avez-vous changé d'avis ?

Elise entortilla sa main autour de celle de Julian et l'attira vers sa gorge nue.

– Essayez-vous de me dissuader de vous aimer ?

– Non ! Mon Dieu, non.

– Alors taisez-vous et aimez-moi.

Le pouls de l'homme se mit à battre avec violence. Savoir qu'elle le désirait acheva d'anéantir l'ultime zeste de contrôle de lui-même qui lui restait. Son corps s'abaissa contre celui d'Elise et il la couvrit d'insatiables baisers. Les bras de celle-ci vinrent le ligoter, et jamais il n'avait accepté avec autant de bonheur de se laisser ainsi posséder.

Il savait maintenant que son attente allait être comblée, aussi voulut-il prendre son temps, savourer chaque seconde de ces instants, chaque atome de sensation. Comme si ses yeux n'étaient pas suffisamment fiables, il lui fallut pétrir de ses doigts chaque trait de la figure d'Elise. Il avait besoin de la toucher, de la respirer, de l'absorber, de faire de ses tissus une part de lui-même.

— Elise.

Prononcer juste son nom. Cela suffisait pour la simple raison qu'Elise était devenue son univers. Elle répondit en disant son nom à lui. Ses lèvres gonflées par les baisers semblaient l'inviter, sa poitrine se soulevait et retombait au rythme tumultueux de sa respiration.

Quand elle bougea sa jambe pour l'accueillir, le besoin de Julian d'être en elle atteignit un paroxysme qui le fit trembler de tout son être. Son intention de prendre le temps de goûter son plaisir s'envola en fumée. De la bouche d'Elise s'éleva une douce plainte languissante, qui l'alerta.

— Elise, j'essaye d'aller lentement, mais...

— Non, n'attendez pas. Je...

Cette fois elle était aussi prête que lui. Les dernieres barrières vestimentaires arrachées, il se coula vers ce corps chaud tendu vers lui, entra en lui pour se laisser emporter dans la spirale fiévreuse, étourdissante de la passion.

Julian ne fut pas, malgré le paroxysme de son extase, sans remarquer qu'il était le premier amant d'Elise. Cette révélation fut un choc, et aussi une fierté dans le fait d'être le premier à la connaître si intimement.

Puis elle se cambra sous lui, lui faisant perdre la capacité de penser. La seule réalité qui subsista fut celle de ce plaisir insensé qu'ils se procuraient, le poussant toujours plus loin, le découvrant dans des contrées insoupçonnées.

Ni le bruit des vagues s'écrasant sur le rivage ni la brise soufflant sur leur peau brûlante n'atteignaient plus leur conscience. Peu à peu leur respiration ralentit et le monde peu à peu retrouva ses contours.

Julian roula sur le dos, attirant Elise avec lui. Avec un soupir d'aise, elle cala sa tête au creux de son épaule.

– Tu te sens bien? demanda-t-il.

Elle émit un son de contentement paresseux. Il sourit, puis fronça les sourcils et demanda de nouveau :

– Elise, pourquoi ne m'as-tu pas dit que c'était la première fois que tu allais avec un homme?

– Quelle importance? fit-elle d'une voix ensommeillée.

– Simplement j'aurais été plus doucement si je l'avais su. J'aurais fait plus attention.

Elle frotta son nez contre le cou de Julian.

– Je n'ai à me plaindre de rien.

Souriant de nouveau, il longea de la main son épine dorsale, chassant au passage les grains de sable accrochés à sa peau.

– Pas de regrets? interrogea-t-il.

– Aucun.

Sous ses doigts se fit soudain sentir la texture particulière d'une cicatrice, juste en bas de la colonne vertébrale d'Elise. Il la parcourut plusieurs fois sur toute sa longueur. Elle mesurait bien dix centimètres pour un de largeur. La jeune femme frissonna en réalisant ce qu'il venait de découvrir.

– Elise? Que t'est-il arrivé?

Au lieu de répondre, celle-ci se mit sur son séant, cherchant son bikini du regard et n'apercevant pour tout vêtement que la chemise de Julian en tas au pied d'un palmier tout proche. Elle en secoua le sable avant de l'enfiler pour réchauffer son corps soudain refroidi.

Debout sous le grand arbre, elle regarda en direction de la mer.

Julian attrapa son maillot de bain. Elle lui parlerait plus facilement s'il était habillé. S'adossant à un rocher chauffé par le soleil, il attendit.

La contempler sans aller vers elle n'était pas facile. Ses mains brûlaient de courir sur ses courbes tentatrices comme quelques instants auparavant. Mais ils avaient plusieurs choses à éclaircir avant qu'il puisse la toucher de nouveau.

Enfin Elise se retourna vers lui. La brise ébouriffait les cheveux de Julian, comme ses doigts à elle quelques minutes plus tôt...

— Je pensais, commença-t-elle, que Patrick t'avait parlé de ma délicate santé. Ça ne serait pas la première fois que mes frères se servent de ma blessure comme prétexte pour décourager les hommes qui leur déplaisent.

Julian eut l'impression qu'on le vidait de son sang.

— Quelle santé délicate? De quoi veux-tu parler? demanda-t-il en faisant un pas vers elle. Y a-t-il une raison physique pour laquelle tu n'aurais pas dû te donner à moi?

Alertée par la pure terreur qui se lisait dans ses yeux, elle se hâta d'aller le rassurer, posant une main sur la sienne.

— Ne t'inquiète pas. Assieds-toi, je vais t'expliquer.

Elle s'agenouilla sur la serviette en face de lui et tâcha de l'apaiser en lui caressant doucement le bras.

— Tu ne m'as fait aucun mal, Julian. Je suis en parfaite santé. J'ai les certificats des médecins pour le prouver. Pour soulager Michael, je subit un examen médical complet tous les six mois.

Elle secoua le bras de Julian, qui continuait de la fixer, l'air toujours aussi bouleversé.

– Pourquoi ne m'as-tu pas dit que tu avais été blessée? articula-t-il d'une voix étranglée. Je n'aurais pas...

– Tu ne m'aurais pas touchée, acheva Elise, retirant sa main. Si tu avais su pour mon dos, tu m'aurais traitée comme une poupée de porcelaine, comme mes frères. Tu m'aurais regardée comme maintenant, comme si j'allais me briser si jamais tu élevais la voix. Je devrais sans doute te remercier de m'avoir permis de me sentir femme au moins un petit moment, même si c'était la dernière fois que tu me touchais.

Elle se leva pour partir mais il la rattrapa d'un bond.

– Bon sang, Elise. Si tu me laissais le temps de digérer le choc au lieu de m'accuser de la sorte, j'aurais peut-être une chance, je dis bien peut-être, de comprendre pourquoi tu es autant sur la défensive.

Elle croisa son regard ardent. Dieu merci, aucun signe de compassion ou de pitié ne s'y reflétait. Dans le cas contraire elle serait partie.

– Très bien. Que veux-tu savoir?

– Tout, mais pas tout de suite. Tu as peut-être oublié ta quasi-nudité, mais pas moi.

Ils retournèrent sur la plage, où elle ramassa le haut, le bas de son bikini, son châle, éparpillés sur le sable. Julian détourna les yeux pendant qu'elle se rhabillait, de peur de succomber à la tentation, et insista pour qu'elle garde sa chemise par-dessus son maillot de bain.

Enfin ils purent s'asseoir côte à côte au pied d'un gros rocher. Julian prit une poignée de sable et le laissa filtrer entre ses doigts en attendant.

– Je vais tout à fait bien maintenant, vraiment, dit Elise.

– Je te crois.

– Je t'ai dit que quand j'avais dix ans, j'étais avec mes parents durant cet accident de voiture. Nous vivions à Seattle à cette époque. Ils ont été tués sur le coup, moi blessée. Entre autres blessures, j'avais une fracture de la colonne vertébrale.

Julian ferma les yeux, appuyant sa tête contre le rocher. Rien que l'imaginer clouée sur un lit d'hôpital lui était douloureux.

– Julian?

– Au point où tu en es... Continue.

– Autant sauter quelques épisodes. Les longs séjours à l'hôpital, les opérations nombreuses, les mois de rééducation physique, avant que je sois jugée dans état suffisamment satisfaisant pour effectuer le trajet jusqu'à Oahu, où vivaient mes frères. Michael était basé à Pearl Harbour au moment de la mort de nos parents, et il avait fait venir Patrick, Shannon et Sean pour qu'ils habitent ensemble. C'était l'aîné et il avait pris la responsabilité de nous élever tous. Cela lui faisait mal au cœur de me laisser à Seattle, mais il était obligé de terminer sa période ici et on ne pouvait pas me transporter.

– Je comprends ce qu'il a dû éprouver. Rien que de savoir ce que tu as enduré seule me rend malade.

– Et pourtant, c'était du gâteau par rapport à ce qui m'attendait, c'est-à-dire convaincre mes frères que je pouvais mener une vie normale sans risquer d'éclater en morceaux. J'ai réussi à aller à l'université d'ici à Oahu, vivant chez Patrick, mais Michael aurait voulu que je sois à Maui, où il travaillait dans une usine de canne à sucre. Il dirige

113

maintenant cette usine et préférerait toujours que je sois là-bas pour pouvoir surveiller chacun de mes faits et gestes.

— Il ne risque pas de changer. Mes sœurs et ma mère ont beau être toutes mariées et heureuses, je continue à m'inquiéter pour elles et à espérer leur bonheur. Ce n'est pas parce que tu n'es plus sous son aile que la nature protectrice de Michael va disparaître.

Après un silence, Elise remarqua tranquillement :

— Au moins, il ne souffre pas d'insomnies.

— Que veux-tu dire?

— Je crois que ça te manque de ne plus avoir la responsabilité de tes sœurs.

— Tu as peut-être raison, mais nous parlions de toi, pas de moi.

— J'ai tout raconté. J'ai eu un problème de dos, c'est terminé. Tout est comme il y a quelques instants, avant que tu ne connaisses mon passé.

— Je ne dirais pas ça.

— Je le savais, dit-elle avec humeur. Je savais que ça serait différent si tu savais pour ma blessure. Tu... Que fais-tu?

Julian avait saisi Elise par la taille et roula sur le sable avec elle. Sa réponse fut des plus assurées :

— Je vais t'embrasser. Dieu seul sait ce qui arrivera ensuite. La seule chose qui a changé entre nous est que j'ai encore plus envie de toi. Ça ne te fait pas peur?

Elle sourit et lui enlaça la nuque.

— Ça ne me fait pas peur.

Le tourbillon de la passion les emporta de nouveau, et Elise fut stupéfaite de découvrir qu'elle était cette femme, cette femme capable de donner et de recevoir du plaisir. Cette femme qui s'était révélée entre les bras de Julian.

Lorsqu'ils furent depuis longtemps apaisés, il s'enquit en la regardant :

— Tu te sens bien ?

Elle crispa ses doigts contre la solide épaule de l'homme.

— Non, pas ça. Ne me fais pas regretter de t'avoir raconté tout ça.

— Ne le regrette pas. Je suis content que tu l'aies fait. Ça explique beaucoup de choses.

— Vraiment ? Quoi, par exemple ?

— Ton activité incessante entre la galerie et ta peinture. Tu rattrapes le temps perdu.

Elle se mordilla la lèvre en réfléchissant à cela.

— Tu as peut-être raison. Seulement ne commence pas à me traiter comme un objet fragile, je t'en prie.

— C'est juste parce que j'avais oublié d'y aller plus doucement. Je n'y peux rien, dès que tu me touches, tout le reste me sort de l'esprit.

— C'est vrai ? C'est une idée qui me plaît.

— Et ça n'est pas tout. Tu vas devoir me pardonner si je mets un peu de temps à oublier cette blessure. Que tu aies pu souffrir et être seule m'est insupportable.

Cela ne plaisait guère à Elise non plus, mais elle savait que la souffrance et la solitude entreraient de nouveau dans sa vie, quand Julian partirait... C'est pourquoi elle devait profiter, profiter au maximum de ces merveilleux moments.

— Je suis pleine de sable. Que dirais-tu d'un petit bain ?

8

PLUSIEURS heures plus tard, alors qu'ils couraient encore dans les vagues, le bruit d'une portière de voiture qu'on claquait leur parvint à tous les deux, suivi de celui strident de voix d'enfants.

– Notre plage privée ne va plus l'être longtemps, observa Julian.

– Je le crains aussi, soupira Elise.

Quelle merveilleuse journée de soleil, de mer et de passion. Elle aurait voulu qu'elle ne se termine jamais.

Il regarda sa montre. Malgré son envie d'avoir Elise encore un peu pour lui, il était temps qu'ils s'en aillent.

Lui prenant la main, il se dirigca vers l'endroit où ils avaient laissé sa chemise, la serviette et le châle de la jeune femme. Il ramassa le tout de sa main libre avant de continuer sa marche, dos à la mer.

Elise courait presque pour pouvoir le suivre.

– Pourquoi cette précipitation?

– Je n'avais pas réalisé qu'il était si tard.

Il avait garé le minicar sur la route près du chemin qui menait à la mer. Avant de grimper dedans, elle entortilla son châle autour de ses hanches et s'enquit :

— Tard pour quoi?

— Il faut que nous passions nous changer à la maison, dit l'homme, étalant la serviette sur la banquette avant de s'installer au volant. Connais-tu un endroit dans le coin où nous pourrions acheter une bouteille de vin?

— Oui, chez *Nabarattis*, à environ un kilomètre d'ici, mais il n'y a pas beaucoup de choix. Commencerais-tu à te fatiguer du cidre de Roy? ajouta Elise avec un sourire.

— Nous ne dînons pas à la maison ce soir, mais chez ton frère. Je ne veux pas arriver les mains vides, expliqua Julian avec un rire. Une bouteille de vin adoucira peut-être le tempérament agressif de Patrick, à moins qu'elle ne me serve à me défendre, tout simplement.

Le pied encore sur la marche de la voiture, la jeune femme lui lança un regard fixe, plantant ses poings sur ses hanches.

— Depuis quand allons-nous dîner chez Patrick?

Il lui tendit la main pour l'attirer sur la banquette.

— Depuis que j'ai accepté son invitation ce matin. Viens. Nous n'avons pas beaucoup de temps. J'ai dit à Patrick que nous serions là-bas vers six heures.

— Tu n'aurais rien dû lui dire avant de m'en parler.

— Tu n'étais pas là. Avant son arrivée ce matin à la maison, je pensais passer la journée sur la plage, avec peut-être un petit tour de l'île en minicar, et que nous dînerions ensuite dans un restaurant de

Waikiki. Un bon steack, pour changer des algues et du yaourt. Ton frère m'a fait changer mes projets.

– Je préférais le premier.

Il savait que cet arrangement conclu sans elle ne lui plairait pas, et elle allait être encore plus furieuse en apprenant la suite, c'était certain. Autant valait lui dire maintenant.

Le regard fixé sur la route, Julian lança d'un air dégagé :

– Ton frère Michael sera là aussi.

Aucune réaction. Surpris, il se tourna vers elle. Elle regardait droit devant.

– Tu ne dis rien?

Elise secoua la tête.

Ils étaient arrivés. Julian gara le minicar derrière la galerie et coupa le moteur.

– Je n'ai pas eu le temps de te parler de tout ça avant, Elise. Patrick avait décidé, après t'avoir vue ce matin, de contacter Michael pour qu'il saute dans l'avion et vienne dîner ce soir pour constater de lui-même ta bonne forme. Après notre petite conversation, il m'a aussi invité.

– Etant donné que je ne peux rien faire contre la venue de Michael, je le verrai, mais seule. Ce serait mieux que tu ne m'accompagnes pas.

– Pas du tout. Je veux rencontrer ton frère.

– Je te préviens, dit-elle avec un faible sourire, Patrick est une crème comparé à lui, question instinct protecteur.

– Patrick et moi nous comprenons. Je ne suis pas inquiet.

– Tu ne connais pas Michael.

Il caressa d'une main la chevelure d'Elise.

– De quoi as-tu peur exactement? Je n'ai pas l'intention de te brouiller avec ton frère. J'ai simplement envie de le connaître et de discuter. Tu as besoin d'avoir quelqu'un de ton côté. Je peux peut-être aider ton frère à comprendre ce que tu veux faire de ton existence mieux que tu n'y parviens, rendre les rapports plus faciles entre vous.

— Tu veux rire! Michael a des critères bien précis sur tout, et auxquels tu ne corresponds pas du tout. Notre liaison encore moins, bien sûr. Il ne comprendra pas.

Les doigts de Julian se mirent à jouer avec les boucles d'Elise.

— Alors il faudra que nous la lui fassions comprendre.

Et de quelle façon? s'interrogea-t-elle plus tard dans sa chambre. Elle-même n'arrivait pas à comprendre cette liaison...

Elle rentra son haut blanc dans sa jupe safran style sarong. Le haut ne lui remontait pas jusqu'au cou et la jupe s'arrêtait juste au-dessus de ses genoux : Michael allait froncer les sourcils en voyant sa tenue, devina-t-elle.

Une fois ses sandales aux pieds, Elise passa ses doigts dans ses cheveux. Les relever ou les laisser pendre sur ses épaules, grave question. La journée avait été chaude et la soirée chez Patrick promettait d'être bouillante... Mieux valait les relever.

Elle se trompait. L'ambiance était glaciale quand elle entra avec Julian chez son frère.

Patrick et Michael étaient dans le séjour. Pas trace de Stella, l'épouse du premier, rien que les visages de pierre des deux Callahan.

Comme d'habitude, l'aîné étudia avec soin l'apparence de sa sœur tandis qu'elle s'avançait vers lui. Comme Patrick, il déploya une imposante stature en se levant pour la saluer.

La maintenant à une longueur de bras de sa propre personne, Michael promena son regard intense sur le visage féminin.

– Patrick m'a dit que tu allais bien. Je voulais m'en assurer.

– Comme tu peux voir, ça va, dit Elise en souriant.

Son frère pencha la tête de côté.

– Je n'en suis pas si sûr. Il y a quelque chose de différent en toi. Quelque chose dans tes yeux que je n'y ai jamais vu.

– C'est la faim, murmura-t-elle. Je suis affamée.

Elle perçut sa tension en lui prenant le bras pour le présenter à Julian.

Tandis que les deux hommes échangeaient une poignée de main, la belle-sœur d'Elise fit son apparition. Cette dernière présenta Julian à Stella, qui le gratifia d'un sourire accueillant et prit la bouteille qu'il avait apportée. Après un coup d'œil circulaire, elle demanda d'une voix un peu forte si quelqu'un désirait un apéritif. Personne n'en prit.

Le regard fixé sur Julian, Michael donna un coup de tête en direction des portes-fenêtres sur sa droite. Bien que haussant les sourcils à ce geste plein d'arrogance, Julian le suivit dehors.

Elise s'effondra sur le canapé avec un grognement.

– Vraiment, très subtil de la part de Michael.

– Subtil et Michael sont deux mots qu'on ne peut pas associer, ajouta Stella en se laissant choir à côté d'elle. Il crachait presque des flammes quand il est arrivé.

– Que lui as-tu dit ? demanda Elise à Patrick.

– Ce que Julian m'avait dit de lui dire. Qu'il était temps que Michael et lui se connaissent.

– Julian a dit ça? Pourquoi?

– Bah... C'est ton petit ami. Pose-lui la question.

– Ce n'est pas mon petit ami.

Se référant à sa longue expérience de pacificatrice, Stella intervint.

– Quoi qu'il en soit, il me paraît apte à prendre soin de lui-même. Elise, j'aurais besoin de toi à la cuisine, et Patrick, tu devais aller jeter un coup d'œil sur les steacks qui marinent depuis quatre heures.

Ravie d'avoir une occupation, Elise faillit cependant se couper le doigt à la place d'une carotte quand elle regarda par la fenêtre et vit Michael sourire. Pas un petit sourire poli, non, une franche expression de gaieté.

Un peu plus tard, ayant entendu les portes-fenêtres s'ouvrir, elle alla à la porte qui donnait sur le séjour. Sa bouche lui en tomba quand elle vit les deux hommes.

Michael riait! Elle ne put que contempler la scène béatement, tout comme Stella et Patrick, qui se tenaient à côté d'elle, l'air hébété.

Julian lui adressa un clin d'œil, signe qu'il était sorti indemne de l'entretien. Elise aurait donné cher pour savoir ce que s'étaient dit les deux hommes. D'autant qu'elle avait dû être le principal sujet de conversation. Julian semblait décidément avoir la bonne tactique avec ses frères.

Stella profita de la soudaine bonne humeur de Michael pour orienter tout le monde vers la salle à manger. Elise se retrouva assise entre Julian et ce dernier, et eut aussitôt la sensation de gêner. Les deux hommes ne cessaient de se pencher devant elle pour continuer leur discussion.

Quand son regard interrogateur et déconcerté

croisa celui de sa belle-sœur, celle-ci haussa les épaules en guise de réponse. Leurs réunions familiales commençaient d'ordinaire par un interrogatoire de l'aîné à la benjamine quant à la façon dont elle se débrouillait. Il n'y avait pas un sujet concernant Elise qu'il ne fouillât pas, de sa façon de se nourrir à son sommeil et au nombre d'heures qu'elle travaillait.

Mais ce soir Michael ne posa aucune de ces questions.

Elle recula un peu sa chaise pour que ses deux voisins puissent bavarder plus tranquillement. Julian expliquait, avec force détails, les utilisations des composants électriques d'un de ses départements. Son exposé suscita une question de Patrick, suivie d'un commentaire de Michael, et tous les trois se mirent à parler affaires de plus belle.

Quand Stella servit le café dans le séjour, son beau-frère interrogea enfin Elise :

— Combien de temps dois-tu encore travailler sur la fresque de la Tour Stafford ?

— J'ai presque fini. Encore deux ou trois nuits. Pourquoi ?

— J'espérais que tu pourrais prendre quelques jours de congé quand tu aurais terminé avant de commencer une autre commande. J'aimerais que tu viennes bientôt passer un week-end à Maui. A ce que j'ai entendu, tu as beaucoup travaillé ces derniers temps et du repos te ferait du bien.

Elise jeta un regard soupçonneux à Julian avant de rétorquer :

— Je ne sais pas ce qu'on t'a dit, Michael, mais je ne travaille pas plus que mes amis et associés.

— J'aimerais quand même que tu viennes tant que Julian est encore en vacances. Ça lui donnerait l'occasion de voir Maui et ça te changerait un peu de la galerie.

– Julian peut visiter Maui quand il veut sans moi. Je viendrai avec Patrick et Stella pour ton anniversaire dans deux mois, comme d'habitude.

Stupeur, Michael hocha la tête en signe d'assentiment. Lui qui s'opposait toujours à ses décisions!

– Il paraît que ton groupe va organiser de nouvelles journées portes ouvertes dans quelques semaines, dit-il au lieu de cela. Ton travail sera-t-il exposé?

– Naturellement.

– Tiens-moi au courant des dates, je serais content d'y venir.

Au lieu de répondre, Elise se leva et alla se planter devant son frère aîné.

– Michael, c'est bien toi? C'est bien ta tête, ton allure, mais je ne reconnais pas ce que tu dis. Que t'a-t-on fait?

Suivit un silence complet. Tous les yeux étaient sur Michael.

A la surprise générale, excepté pour Julian, l'homme sourit et prit la main de sa sœur dans la sienne.

– L'ogre protecteur n'a pas disparu, simplement il a été bien conseillé par un expert en matière de sœurs. Apparemment les grands frères ont ce défaut en commun qui est leur incapacité à admettre que leurs petites sœurs peuvent très bien prendre leurs décisions seules et vivre une vie indépendante.

Un coup d'œil de côté fit découvrir à Elise un Julian au regard indéniablement satisfait. Beaucoup trop satisfait à son goût. Que l'attitude de Michael ait changé grâce à lui et non grâce à elle l'irrita au plus haut point. Depuis des années elle essayait en vain de convaincre Michael qu'elle était devenue adulte ; Julian surgissait, et hop le miracle était fait en quelques heures.

— Je te laisse en de bonnes mains, conclut son frère aîné. Entre Patrick et Julian, je n'ai pas trop à m'inquiéter pour toi. Maintenant, bien que cette soirée soit fort agréable, il est temps que je rentre à Maui.

Il remercia Stella pour son dîner et dit à Patrick qu'il n'avait pas besoin de le raccompagner à l'aéroport. Julian avait proposé de l'y déposer ; lui et Elise allaient de toute façon dans cette direction.

Pendant qu'il faisait ses adieux à son frère et à sa belle-sœur, Elise attira Julian à l'écart :

— Pourquoi lui as-tu dit que nous allions vers l'aéroport ? Ce n'est pas du tout le chemin de la maison.

— Je sais, mais c'est celui de ma résidence.

Elle détourna les yeux. Elle avait toujours su que leur aventure devait s'achever un jour, mais ne s'attendait pas à ce que cela arrive si vite. De toutes les surprises de la soirée, apprendre qu'il la quittait était la plus difficile à accepter. Cependant elle avait sa fierté et décida de n'en rien montrer.

En la regardant embrasser sa belle-sœur, Julian décela au fond de son regard une expression bouleversée. Certes la soirée n'avait pas été facile pour elle, mais il ne comprit pas pourquoi elle semblait à ce point anéantie.

Une fois dehors, Elise s'apprêta à grimper à l'arrière du minicar, mais il l'arrêta :

— Monte à côté de moi. Michael ira derrière.

— C'est plus simple que j'y aille moi, puisque tu me déposes en premier.

– Te déposer en premier? Qu'est-ce que tu racontes? Nous accompagnons Michael à l'aéroport et ensuite nous allons chez moi.

Prenant les devants, Michael la poussa vers la banquette avant.

– J'ai un avion à prendre. Vous réglerez ça plus tard.

Julian appuya sur l'accélérateur; il ne s'agissait pas de rater le vol. Elise eut à peine le temps d'embrasser son frère avant qu'il ne file vers la porte d'embarquement.

Après quoi elle se laissa prendre par le bras et reconduire hors de l'aéroport.

– Finies les obligations familiales, déclara Julian. Le reste de la nuit est à nous.

Ils remontèrent dans la voiture. Elle ouvrit la bouche, mais y posant un doigt, il l'empêcha de parler.

– Garde tes délicieuses pensées jusqu'à chez moi. Alors je serai tout ouïe. Je te le promets.

Bon, pourquoi pas. Après tout, cela lui permettrait de mettre un peu d'ordre dans son esprit confus, songea la jeune femme. Car il y avait un certain nombre de choses dont elle désirait discuter avec lui.

Réfléchir lui devint difficile quand ils arrivèrent à la résidence de Julian. Dès la fermeture des portes de l'ascenseur, il l'attira contre lui, portant la main d'Elise à ses lèvres.

– Julian, il faut que nous parlions, parvint-elle à protester tandis qu'il goûtait à un de ses doigts.

– Je ne peux plus, amour. Ton frère a épuisé toutes mes ressources.

– Justement, c'est une des chose dont nous devons discuter. Que lui as-tu donc raconté?

125

Il noua ses mains sur les reins d'Elise, heureux de l'avoir à nouveau dans ses bras.

— Me référant à mon expérience avec mes sœurs, j'ai fait observer combien on risquait, à vouloir serrer de trop près une chose, de l'étrangler. C'est un point de vue qu'il n'avait jamais envisagé auparavant. Je lui ai rappelé que sa sœur était une femme extraordinaire, en appuyant sur le mot femme, et non une petite fille, dit-il, plongeant ses yeux dans ceux de sa compagne. Il est parfois difficile de voir les choses clairement lorsqu'on les a juste sous le nez.

Elle appuya sa tête contre son torse, touchée par son ton tendre plus que parce qu'il venait de dire.

— Qu'allons-nous faire? soupira-t-elle.

— J'ai quelques suggestions, gloussa Julian.

Les portes de l'ascenseur s'ouvrirent. Il la souleva dans ses bras et s'engouffra dans le couloir. Deux vieilles dames les regardèrent passer, portant de stupeur une main à leur bouche.

L'homme les gratifia d'un large sourire. Il déposa Elise devant sa porte pour pouvoir glisser sa clé dans la serrure. Avant d'ouvrir la porte, il commanda :

— Ferme les yeux.

— Quoi?

— Ferme les yeux.

— Pourquoi? Je n'y verrai rien si je ferme les yeux.

— C'est justement le but, réliqua Julian, secouant la tête avec une moqueuse exaspération. Allez, fais-moi plaisir. Ferme ces jolis yeux bleus pendant quelques secondes.

Levant les bras en l'air, elle obtempéra.

— Et maintenant?

126

Il ouvrit la porte, poussa doucement Elise à l'intérieur, la guida en posant ses mains sur ses épaules, puis s'immobilisa.

– Maintenant tu peux les rouvrir.

Elle cligna des paupières à plusieurs reprises, ne parvenant à croire ce qu'elle voyait.

Le séjour était envahi de fleurs. Toutes les variétés de fleurs dans des vases, des pots, des paniers de toutes sortes de formes, sur le sol, sur les tables, les meubles. Des orchidées, des bougainvillées, des fougères... Un véritable paradis tropical.

Elle se tourna avec lenteur vers lui.

– Je ne sais pas quoi dire.

– Une première. Elise Callahan est sans voix.

– Sauf une question.

– C'était trop beau pour durer. Quelle question?

– Pourquoi? Pourquoi as-tu fait ça?

Il tendit une main pour lui caresser la joue.

– J'avais d'abord prévu un dîner intime ici, rien que nous deux. De la vraie bonne nourriture; rien qui puisse porter l'appellation de sain ou de diététique.

Cette évocation de la cuisine de Roy la fit sourire un instant.

– Quand mon projet de dîner a été modifié, j'ai annulé le traiteur.

– Mais pas le fleuriste.

Il hocha la tête, attrapant une fleur dont les pétales vinrent frôler les lèvres de la jeune femme.

– Je ne voulais pas renoncer aux fleurs. Elles ont trop d'importance dans mon fantasme de ces derniers temps.

– Je n'avais pas réalisé que tu étais un homme à fantasmes.

Il ficha la fleur derrière l'oreille d'Elise avant de la prendre par les épaules.

— Je n'en avais pas eu depuis l'âge de quatorze ans. J'avais alors une petite voisine aux attraits féminins qui avait ému mon jeune corps. Ce fantasme... est toujours resté à l'état de fantasme. Celui d'en ce moment est de t'aimer dans un champ de fleurs. Avec la foule de touristes qui envahit les moindres recoins de cette île, ça m'a paru irréalisable. Mais comme je suis têtu et que j'ai vraiment envie de réaliser ce fantasme-ci, voilà...

— Comment puis-je t'aider? sourit-elle.

Il l'entraîna avec lui sur le tapis jonché de fleurs.

— Tu es mon fantasme.

Les fleurs s'écrasèrent sous elle, dégageant leur forte, leur sensuelle fragrance. Elle leva les yeux vers lui.

— Je ne suis pas un fantasme, Julian. Je suis bien vivante.

La main de ce dernier vint épouser la courbe douce de sa hanche.

— Je sais. Grâce à toi je me sens plus vivant que jamais.

Elise appliqua une main contre la joue de l'homme. Le désir faisait étinceler ses yeux. C'était une expression que jamais elle n'oublierait.

— Et que faisais-je dans ton fantasme? Je veux jouer mon rôle.

Se soulevant sur un coude, il tira sur le chemisier d'Elise.

— Pour commencer, tu ne portais pas ça.

Leurs regards soudés, elle se mit sur son séant et fit passer le vêtement superflu par-dessus sa tête. Elle eut un sourire en entendant Julian inspirer avec effort. Elle ne portait rien sous sa chemise.

Il remonta sa main vers ses seins offerts, mais elle la fit redescendre vers le bouton de sa jupe.

— Et ça?

— Il faut la retirer aussi.

En quelques gestes prompts, il fit glisser le long des jambes de sa propriétaire jupe et petite culotte. Il se perdit un instant dans la contemplation de son corps nu étalé sur ce tapis de pétales vibrant de couleurs.

— Embrasse-moi, murmura-t-elle en l'attirant par la nuque.

Julian frissonna, se pliant avec délice à sa requête. Sa tête bourdonnait déjà de l'explosion de ses sens. Si puissant fut aussitôt son désir qu'il en était presque douloureux.

Il interrompit leur baiser en sentant Elise chercher la ceinture de son jean. Ses doigts se refermèrent sur le délicat poignet pour l'arrêter.

— Attends. Je veux que ça dure encore.

Elle secoua la tête. Sa respiration était précipitée.

— Non, souffla-t-elle. J'ai envie de toi maintenant.

Il la dévisagea, arracha presque ses vêtements pour venir à elle plus rapidement.

Les paupières d'Elise s'abaissèrent quand il allongea son grand corps sur elle.

— Elise. Regarde-moi.

Il savait que la magie opèrerait : le monde disparut autour d'eux, les laissant seuls...

9

APRÈS leur nuit magique, Elise eut du mal à replonger dans la réalité quand ils revinrent le jour suivant à la maison. Un message attendait Julian : il devait contacter sa sœur aux Industries Stafford dès que possible. Et, mauvaise nouvelle, l'eau chaude ne fonctionnait plus.

Julian passa son coup de téléphone pendant que la jeune femme cherchait un plombier dans l'annuaire. Il vint ensuite s'asseoir à côté d'elle à la table de la cuisine.

— Justine a besoin de me voir, dit-il. Il y a un problème de famille dont elle ne veut pas parler au téléphone. Je vais devoir aller au bureau ce matin. Si tu ne t'en sers pas, je prendrai ton mini-car, sinon la limousine de la société peut passer me chercher.

— Je n'ai pas besoin de la voiture avant ce soir, répliqua-t-elle, toujours plongée dans la liste des plombiers. Tu peux la prendre du moment que je la récupère à six heures.

— Veux-tu que je m'occupe de trouver un plombier avant de partir ?

Elle nota quelques numéros de téléphone sur une feuille.

130

– Je vais le faire. Ce n'est pas la première fois que nous avons un ennui de ce genre. Le charme rustique a ses inconvénients. Le point délicat est de dénicher un plombier qui vienne tout de suite et pas dans une semaine.

Et un qui n'ait pas des tarifs prohibitifs, se retint-elle d'ajouter. Car les finances de la galerie, sans être franchement mauvaises, étaient loin d'être brillantes.

Julian la fit se lever de sa chaise et la serra dans ses bras.

– J'aurais préféré passer la journée autrement, murmura-t-il dans son cou.

Fermant les yeux, elle se rassasia de la sensation de son corps ferme contre le sien. Elle voulait absorber le plus de sensations possibles... avant que tout ne soit fini...

– On ne peut pas toujours avoir ce qu'on veut, dit-elle.

– Mais quelquefois si, rétorqua-t-il en baissant les yeux vers elle.

Elise savait à quoi s'attendre quand leurs lèvres se joignirent. Ses bras se refermèrent autour du cou de Julian pour l'attirer encore plus près. Elle avait besoin de se raccrocher à ce morceau de paradis avant d'être rejetée dans la réalité solitaire.

Julian dut faire appel à toute sa volonté pour la repousser au lieu de l'emporter sur-le-champ dans sa chambre.

– Il faut que je parte, ronchonna-t-il. Si je continue à t'embrasser, je ne pourrai plus m'arrêter.

Au prix d'un grand effort aussi, elle s'écarta de lui.

– Je vais chercher les clés de la voiture.

Julian profita de ces quelques minutes seul pour réfléchir. Il avait ressenti dans le baiser d'Elise quelque chose de presque désespéré, comme un retrait autant physique que mental. Pourquoi? C'était incompréhensible. Bien que cela lui coutât de la laisser, il allait pouvoir profiter de son passage au bureau pour mettre certaines choses en mouvement. Sans doute aurait-il dû appeler Justine avant, quand il avait pris sa décision.

Mais Elise avait été ces jours derniers sa seule préoccupation.

Il sourit. C'était une affection dont il risquait de souffrir longtemps. Le reste de sa vie, si tout allait bien...

La jeune femme revint avec les clés.

— N'oublie pas d'être de retour à six heures.

— Promis. Que vas-tu faire en dehors de ces histoires de plomberie pendant que je me chamaillerai avec ma sœur?

— Je travaillerai à l'atelier. J'ai quelques peintures à achever avant les journées portes ouvertes.

Il la prit dans ses bras, demandant encore :

— Ça va aller pendant que je ne serai pas là?

Elle savait qu'il parlait d'aujourd'hui, mais elle savait aussi que cela n'irait pas du tout quand il serait parti pour de bon.

— Ça va aller.

Il s'autorisa un dernier baiser avant de s'échapper. Plus vite il réglerait ses affaires, plus vite il serait rentré.

Une demi-heure après son départ, après un nombre décourageant d'appels sans suite, Elise trouva enfin un plombier qui pouvait venir dans l'après-midi. Il ne restait qu'à espérer qu'il viendrait réellement comme il l'avait assuré.

132

Elle était en train de ranger l'annuaire dans le tiroir quand Roy passa sa tête par la porte du fond.

– As-tu réussi à dénicher un plombier?

– Je crois que oui. Je commençais à désespérer.

– Bien, dit l'homme sans bouger du pas de la porte, comme s'il n'osait pas pénétrer dans cette pièce dont il avait pourtant fait son sanctuaire culinaire. Ah, Elise, tu aurais une minute?

– Bien sûr. Qu'y a-t-il?

– Ça m'ennuie de t'assener encore d'autres problèmes, mais tu as été occupée ces jours derniers par Julian, et nous n'avons pas eu l'occasion avant aujourd'hui de t'annoncer la nouvelle. Je crains que ça ne puisse plus attendre.

– Que se passe-t-il? demanda Elise, intriguée.

Roy s'avança vers la table et s'assit.

– Assieds-toi, Elise.

Cela lui plaisait de moins en moins. Quelle que fût cette mystérieuse nouvelle, cela ne semblait pas en être une bonne. Décidément, c'était la journée.

Elle s'installa sur une chaise en face de Roy. Celui-ci fixait la table en jouant avec l'étroite frange du napperon qui se trouvait devant lui.

Au bout de longues secondes, comme il restait muet, la jeune femme le pressa de s'expliquer:

– Alors, Roy? De quoi s'agit-il?

– Je ne trouve pas d'autre façon de le dire que le lâcher d'un coup.

– Eh bien, vas-y. Lâche-le d'un coup.

– Kate et moi déménageons.

– Si c'est à cause de l'eau chaude, objecta-t-elle en s'enfonçant dans sa chaise, je m'en occupe.

Roy se pencha vers elle, appuyant ses avant-bras sur la table.

133

– Ça n'a rien à voir avec ça. C'est le manque d'intimité. Kate et moi avons envie de nous trouver un endroit à nous depuis environ six mois. Ça fait un mois que nous avons commencé à chercher sérieusement une location, quand Kate a pensé qu'elle devait être enceinte. Maintenant c'est confirmé, elle a vu le médecin il y a quelques jours et nous devons vraiment trouver quelque chose de plus grand. Le mari d'une des infirmières du cabinet de ce médecin a obtenu une mutation sur le continent, et ils veulent louer leur maison. Nous allons la visiter cet après-midi.

Elise bondit de sa chaise et se précipita pour aller l'embrasser.

– Mais c'est une nouvelle formidable!

Il l'embrassa à son tour, puis la dévisagea.

– Nous ne nous attendions pas à une telle réaction. Je dois t'avouer que nous craignions que tu prennes très mal notre départ.

– Tu plaisantes? Je suis ravie pour toi et Kate. Vous allez avoir un bébé. C'est magnifique.

– Mais, et le loyer de la maison? Nous continuerons à partager les dépenses de la galerie, mais nous ne pourrons plus participer au loyer dès que nous aurons emménagé dans notre autre logement.

Plantant ses mains sur ses hanches, Elise fronça les sourcils.

– Ne me dis pas que vous me croyez aussi uniquement intéressée par l'argent! Nous sommes amis depuis longtemps, Roy. Je pensais que toi et Kate, vous me connaissiez mieux que ça.

– Ça n'est pas ce que je voulais dire, mais comment vas-tu pouvoir garder la maison seule? Polly est partie, Wayne est à Maui pour plusieurs semaines, Julian va retourner à San Francisco, et maintenant Kate et moi déménageons. Que vas-tu faire?

– Ne t'inquiète pas pour moi, le rassura-t-elle en posant une main sur le bras de Roy. Ta femme et ton enfant doivent passer en premier. Nous trouverons un moyen pour continuer à faire fonctionner la galerie.

Il détourna les yeux avant de la regarder de nouveau.

– Nous... hum, pensions que toi et Julian, peut-être...

Elle secoua la tête, un faible sourire sur les lèvres.

– Julian va retourner à San Francisco dans quelques jours, et je vais rester ici.

– Je suis désolé, Elise, dit Roy avec douceur, après un silence. Tout le monde à l'air de te planter là.

– C'est juste la tournure des événements. C'est la vie, j'imagine. Quand nous nous sommes associés pour monter la galerie, nous savions bien qu'il y aurait nécessairement des changements. C'eût été utopique de croire que nous allions vivre toute notre vie tous ensemble.

– Seulement c'est toi qui t'es le plus impliquée dans le lancement de la galerie et dans son bon fonctionnement. Nous nous sommes beaucoup reposés sur toi, ce qui est injuste. Julian nous en a fait prendre conscience. Nous avons profité de toi et tu as fait un travail sensationnel. Maintenant nous te laissons tous tomber.

Peu sûre de pouvoir simuler encore longtemps cet air serein, elle lui prit le bras et l'entraîna vers la porte.

— Allons chercher Kate, que je la félicite pour le bébé. Ensuite, je suggère qu'elle commence déjà à emballer ses mobiles et ses carillons si elle veut avoir terminé à temps pour votre emménagement dans votre future maison!

Cela fut plus long que Julian n'avait escompté, mais sa journée au bureau fut efficace. De retour à la maison, il ne put se garer à la place habituelle derrière la galerie. Elle était déjà occupée par une grosse camionnette bleue sur le flanc de laquelle s'étalait en lettres blanches le nom d'une entreprise de plomberie. Elise se tenait près de la portière du conducteur et s'entretenait avec celui-ci.

Le soleil faisait étinceler ses cheveux noirs, le vent les faisait voleter sur ses épaules. Ils avaient été séparés environ cinq heures, mais Julian avait l'impression d'avoir été privé d'elle pendant des jours. La pensée d'avoir à la quitter même pour une courte période lui était pénible.

C'était pourtant ce qu'il allait devoir faire, cela s'était décidé dans la journée.

Après le départ du plombier, Julian descendit du minicar et alla à la rencontre d'Elise. Il allait emmener avec lui cette image d'elle et s'en souvenir pendant ses nuits solitaires...

Il posa une main sur le cou féminin et embrassa brièvement Elise. En relevant la tête pour la regarder, il fut surpris par l'étrange expression de son visage. Le plaisir de le retrouver s'y lisait, mais aussi une certaine tristesse, une douleur.

Il n'avait pas encore ouvert la bouche que le regard de la jeune femme fut attiré par quelque chose derrière lui. Il tourna la tête. La limousine de sa société était en train de se garer derrière le minicar.

L'air résigné d'Elise le dissuada de s'expliquer. Il eut l'impression qu'elle savait ce qu'il allait dire.

— Je dois rentrer tout de suite à San Francisco, lâcha-t-il tout de go.

Il crut la voir fléchir, puis pensa qu'il avait rêvé.

— Très bien, dit-elle avec calme avant de s'effacer pour laisser libre l'accès à la maison. Je suppose que tu veux faire ton sac.

Sa voix était d'une plate politesse. Aucune trace de cette chaleur que Julian aimait tant.

— Je ne suis pas venu pour mes vêtements. Je n'en ai pas besoin. Je suis revenu pour te dire pourquoi je devais partir plus tôt que prévu.

— Tu aurais pu téléphoner. Tu ne me dois aucune explication, Julian. Je savais qu'un jour ou l'autre tu partirais.

Son regard la transperça. Il s'était attendu à ce qu'elle accepte mal ce départ impromptu, à ce que cela la mette éventuellement en colère d'être prévenue si tard, mais pas à ce manque de réaction, à ce vide.

— Si ça avait été possible, j'aurais fait autrement.

— Je sais, dit-elle en baissant les yeux.

L'homme refoula sa colère grandissante. Elle ne lui serait d'aucun secours. La patience, en revanche, si. Peut-être.

Elise tourna les talons et se dirigea vers la maison. Il serra les poings. Sa démarche d'ordinaire pleine de grâce et de souplesse était rigide, crispée. Elle n'était pas aussi froide et détachée qu'elle voulait le laisser croire, sentit Julian.

Il la rattrapa dans le couloir, lui saisit le bras et la fit tournoyer vers lui.

– Bon sang, Elise. Ça ne me plaît pas, mais je dois partir. Ma sœur et mon beau-frère partent en vacances, et Sam veut me réexaminer avant leur départ pour pouvoir rassurer ma famille.

– Je comprends.

Julian glissa une main dans sa poche arrière de jean et en sortit son portefeuille. Le mouvement de recul de la jeune femme lui fit lever les yeux. Une extrême pâleur avait envahi son visage, et elle fixait le portefeuille avec une expression de pure horreur.

– Si tu m'offres de l'argent, articula-t-elle d'une voix serrée, jamais je ne te pardonnerai.

Son ton coupant lui fit hausser un sourcil.

– Je n'avais pas l'intention de te donner d'argent.

Il retira une carte du portefeuille et la lui tendit.

– C'est ma carte de visite professionnelle. J'ai inscrit mon numéro de téléphone à la maison au dos. J'espère être de retour d'ici quelques jours, au plus une semaine. Je ne le saurai qu'une fois là-bas. Si tu veux me joindre pour quoi que ce soit, tu peux me trouver à n'importe lequel de ces numéros.

La main d'Elise s'éleva avec lenteur pour prendre la carte. Elle l'étudia plusieurs secondes avant de la retourner pour en lire le verso. Chacun de ses gestes semblait soigneusement mesuré.

Quelque chose n'allait pas, mais quoi? Julian n'arrivait pas à mettre le doigt dessus.

La seule chose qu'il pouvait faire était exprimer tout haut le fond de ses pensées :

– J'aurais aimé passer plus de temps avec toi avant de partir, mais plus vite je serai à San Francisco, plus vite je pourrai revenir ici.

138

Elle fit quelques pas dans le couloir, puis s'arrêta et revint vers lui.

– J'avais oublié. Tu n'as pas besoin de tes vêtements.

Il lui prit le visage entre ses mains :

– J'ai assez de temps pour un vrai baiser d'adieu.

Elise leva le menton et offrit un pâle sourire.

– La coûtume sur nos îles est d'offrir au voyageur qui s'en va un collier de fleurs et un baiser. Si tu m'avais prévenue avant, je t'en aurais confectionné un.

– Je me contenterai du baiser.

Il en fit durer le plaisir aussi longtemps que possible. Elle allait tant lui manquer... Quand il s'y arracha à contrecœur, il promena une dernière fois son index sur le contour de sa joue.

– Bon sang, je ne veux pas te laisser. Si j'avais un peu plus de temps...

– Mais tu n'en as pas. Ta voiture attend.

Julian serra encore la taille d'Elise. Seigneur, quelle tension...

– Ça va ?

– Bien sûr, souffla-t-elle. Pourquoi ça n'irait-il pas ?

Il poussa la porte vitrée. Elise était de plus en plus crispée, lui sembla-t-il.

– As-tu eu des problèmes avec le plombier ? N'a-t-il pas fait la réparation ?

– Il a posé un nouveau chauffe-eau.

– Bien. Dieu sait que je vais prendre des douches froides en rentrant à San Francisco. Penser que tu étais soumise au même régime m'aurait vraiment embêté.

Le chauffeur ouvrit la portière à Julian quand ils approchèrent de la limousine.

— Il reste trente minutes avant votre vol, monsieur.

— Je sais.

La main sur la portière, il se pencha et embrassa Elise.

— Je t'appellerai.

Elise resta figée sur place longtemps après que la limousine grise ait disparu.

Il avait paru si heureux, si excité de retourner à San Francisco, même s'il fallait pour cela la quitter... Chacun de ses mots avait été une griffure profonde dans son cœur.

Finalement elle se dirigea vers l'arrière de la galerie. Il fallait qu'elle fasse quelque chose, sous peine de commencer à s'apitoyer sur son sort, ce qui ne mènerait à rien. Par exemple, chercher un moyen de payer la note du plombier. Qui aurait cru qu'un petit chauffe-eau pouvait coûter aussi cher qu'une de ses fresques?

Elle shoota dans un gravier, lâcha un juron et se pencha pour tenir son orteil meurtri. La prochaine fois elle se souviendrait qu'elle portait des sandales et non des chaussures.

Mais qu'était une blessure à l'orteil comparée à celle de son âme? Elise hâta le pas. Non, pas d'auto-apitoiement. Elle s'était lancée dans cette relation avec Julian en pleine conscience. Elle avait fait la folie d'ouvrir son cœur et de l'y laisser pénétrer, mais elle vivrait. Elle avait déjà survécu à un drame dans son existence, alors pourquoi pas à celui-ci aussi?

Dans la galerie, la jeune femme alla directement retirer le panneau de fermeture suspendu en travers de la porte, puis elle s'installa derrière le comptoir et attrapa son carnet d'adresses.

140

Vingt minutes plus tard, elle raccrocha le combiné du téléphone et nota sur son cahier la commande qu'elle venait d'accepter. Cent natures mortes de fruits exotiques et cinquante vues de la Tête de Diamant, toutes de quinze centimètres sur vingt et encadrées, à livrer dans deux semaines. Cela réglerait la facture du plombier et il lui resterait de quoi compléter le loyer. Quel soulagement. Et quelle chance que le magasin de cadeaux ait encore été intéressé par cette commande, qu'elle avait pourtant refusée lorsqu'ils lui en avaient fait la proposition plusieurs mois auparavant.

A leur retour, elle allait pouvoir dire à Roy et Kate sans leur mentir que leur déménagement ne lui posait aucun problème d'argent.

D'ailleurs, elle n'allait pas non plus rester à la maison.

10

JULIAN arpentait son bureau. Dix-sept pas de longueur exactement. A sa surprise, le luxueux tapis ne semblait pas souffrir du piétinement incessant dont il avait été victime ces dernières heures.

Brusquement il s'immobilisa, fit volte-face et fonça vers la porte, qu'il ouvrit en grand avant d'appeler :

— Fiona ! Venez ici.

Il reprit sa marche, optant cette fois pour le trajet porte-bureau et retour. La voix douce et posée de sa secrétaire ne tarda pas à se faire entendre à la porte.

— Pourquoi ce rugissement ?

Julian tourna sur ses talons pour lui faire face.

— Avez-vous déjà fait ces réservations d'avion pour Hawaii ?

La femme aux cheveux gris ajusta ses lunettes sur son nez.

— Il y a un vol à neuf heures demain matin.

— Ne pourriez-vous pas en trouver un plus tôt ?

— A condition que vous vouliez affréter un avion. Ou encore que vous preniez un vol commercial de bonne heure.

— Voyez ce que vous pouvez faire pour affréter

un avion. Rien que l'idée d'attendre encore une journée me rend fou. Voilà deux semaines que je suis parti et je n'ai parlé à Elise qu'une seule fois, et encore, quelques malheureuses minutes. Il faut absolument que j'aille voir ce qui se passe là-bas.

— Je ne pense pas qu'un jour d'attente en plus change grand-chose, objecta Fiona McDaniels en entrant dans la pièce. Votre mère vous attend ce soir et serait terriblement déçue que vous n'assistiez pas à votre propre dîner d'adieu.

Avec un profond soupir, Julian croisa les bras sur sa poitrine.

— J'avais oublié ce fichu dîner.

— Votre mère souhaite tant réunir toute la famille avant votre départ pour Hawaii. Mme Garrison et son époux ont pris l'avion juste pour cette soirée, et le Dr et Mme Sampson ont écourté leurs vacances pour être présents aussi.

— Ça va, Fiona, j'ai saisi. Je partirai demain matin.

— C'est ce que je pensais que vous feriez. J'ai déjà fait les réservations, dit la secrétaire en s'asseyant, puis ôtant ses escarpins pour étirer ses pieds dans le tapis moelleux. Ouf... Je suis rompue. Vous nous avez vraiment fait cravacher ces deux semaines-ci, patron. Je ne croyais pas que nous bouclerions tout en si peu de temps.

L'homme lui sourit.

— Vous allez aimer Hawaii, Fiona. En dehors du fait que j'aurais eu un mal fou à trouver une secrétaire qui s'accommode de moi comme vous le faites, vous ne regretterez pas de m'avoir suivi là-bas, vous verrez.

— Ça ne me plaît toujours pas d'emménager dans l'appartement de la société. Je crains que ça ne soit pas mon style.

— Ce n'est que temporaire, en attendant que vous trouviez un endroit à votre goût. J'ai besoin de vous avoir tout de suite sur place pour m'aider à faire la transition en douceur, dit Julian, fronçant soudain les sourcils. Evidemment, retrouver Elise risque de me prendre du temps...

— D'après ce que vous m'avez dit, son travail l'occupe beaucoup.

— Alors pourquoi ne répond-elle pas au téléphone à la galerie ? Kate est tellement évasive ; elle ne cesse de m'affirmer qu'elle communique mes messages à Elise, mais Elise ne m'a pas rappelé une seule fois. Elle ne répond pas non plus au téléphone à la maison. Même la nuit alors qu'elle devrait y être. Justine dit que la fresque du hall d'entrée a été terminée deux jours après mon départ. J'ai appelé son frère Patrick. Il l'a vue vendredi dernier ; il paraît qu'elle semblait un peu fatiguée mais en forme, très prise par son travail.

— Pourquoi avez-vous tant de mal à l'accepter ? Vous m'avez parlé de sa passion pour cette galerie et, s'il y a quelqu'un qui devrait comprendre que l'on travaille dur, c'est bien vous.

Julian se remit à faire les cent pas.

— Je le comprends. Ce que je ne comprends pas, c'est pourquoi elle ne me téléphone pas. J'en viens à me demander dans quelle mesure je compte pour elle.

Fiona réintroduisit ses pieds dans ses chaussures et se leva.

— Là je ne peux pas vous aider, ne la connaissant pas. En revanche, je sais quelle importance elle a pour vous. N'importe qui ne transférerait pas ses affaires et son domicile dans un autre État pour une femme qu'il n'a cotoyée que quinze jours. Et c'est d'autant plus étonnant de la part d'un homme aussi hostile à toute liaison féminine.

– Ça vous amuse autant que Sam, n'est-ce pas? lança Julian d'un ton accusateur, se figeant sur place. Ce vieux Julian en train de marcher sur ses principes de toujours!

– Non. Je ne me moque pas de vous. Et je ne pense pas que Sam ou quiconque de votre famille se moque de vous. Nous sommes heureux pour vous. Mais reconnaissez tout de même qu'il s'est opéré un brutal changement dans votre comportement, et cela en un court laps de temps.

– Quand on est victime d'un coup de foudre... ça a tendance à faire changer votre comportement.

– Je suis impatiente de la connaître. Les coups de foudre sont rares.

– Et je ne laisserai pas celui-ci s'envoler, répliqua-t-il avec détermination.

L'unique conversation téléphonique qu'il avait eue avec Elise lui retraversa l'esprit. Elle lui avait demandé des nouvelles de sa visite médicale, s'était déclarée contente qu'il aille bien, et quand il avait ajouté qu'il avait bien dormi, la voix d'Elise était devenue un peu guindée.

Ce bref échange avait été d'une totale frustration.

L'air anéanti de son regard n'avait cessé de le hanter : Julian regrettait maintenant de ne pas l'avoir emmenée avec lui à San Francisco. Cette séparation était trop douloureuse. Se trouver loin d'elle le forçait à vouloir tout accélérer, tout régler vite, pour pouvoir enfin aller la rejoindre.

Elise ouvrit les yeux. Au lieu du plafond familier de sa chambre, le ciel bleu et les palmiers. Elle soupira. Elle s'était endormie. C'était la première après-midi de repos qu'elle s'accordait depuis une éternité, et elle en avait perdu la moitié à dormir.

Elle passa ses doigts dans sa chevelure emmêlée par le vent et se leva. Frottant le sable collé à ses jambes, elle marcha vers la mer. Les vagues se brisaient un peu plus haut qu'à l'ordinaire sur la plage; il y avait eu un orage la nuit précédente.

Le regard dans le lointain, Elise songea aux deux semaines qui venaient de s'écouler. Elle avait enfin achevé la commande du magasin de cadeaux et avait payé la facture du plombier avec ce qu'elle avait gagné. Roy et Kate avaient déménagé, et la maison avait paru toute vide sans ses carillons et ses mobiles. Elle en était maintenant la seule occupante, pourtant elle savait qu'il lui serait difficile de la quitter quand son propriétaire aurait trouvé un acquéreur.

La lettre du propriétaire lui annonçant son intention de vendre n'aurait pas pu tomber à un pire moment. Malgré ses efforts pour trouver un moyen d'acheter elle-même la maison, il n'y avait rien eu à faire. Ses finances ne suivaient pas, c'était clair et net, et la banque n'était pas prête à y mettre du sien.

Elise comprenait d'ailleurs la position de cette dernière. Sa façon de travailler ne lui assurait pas de revenus stables. Certains mois étaient corrects, voire excellents, d'autres très mauvais, et elle ne pouvait pas offrir la garantie que nécessitait un prêt bancaire.

Elle se pencha pour ramasser un coquillage à la forme surprenante, le retourna dans sa main. Elle aurait dû être en train de chercher un appartement au lieu de gaspiller ce précieux temps à errer sur la plage.

En pensant à Julian.

Une vague vint recouvrir ses chevilles, et elle jeta le coquillage dans l'eau avant qu'elle ne se retire. Elle avait passé trop de temps à penser à lui. Les souvenirs étaient un pauvre produit de remplacement, mais elle n'avait qu'eux. Entendre sa voix l'unique fois où elle se trouvait à la maison quand il avait appelé avait failli la tuer. Cette voix taquine, pressante, aimante. Oh, il lui manquait tant qu'elle n'avait pas pu supporter d'entendre sa voix, qu'elle n'avait plus voulu l'entendre. Kate lui transmettait ses messages, mais Elise ne pouvait se résoudre à le rappeler. Bientôt il l'aurait oubliée. Du moins l'espérait-elle, car chaque fois que Kate lui faisait part d'un appel de Julian, son cœur était transpercé de douleur, et la tentation d'entendre une dernière fois sa voix devait lutter avec sa décision de l'effacer de sa mémoire.

Sa stratégie semblait d'ailleurs efficace : Julian n'avait pas appelé depuis trois jours.

Mais quelle idée d'être venue ici, à l'Anse du Requin, se reprocha Elise. Ce lieu encore vibrant des souvenirs de leur journée ici...

Elle jeta un coup d'œil vers l'endroit abrité où ils s'étaient aimés, puis cligna des paupières. Voilà que son imagination lui jouait des tours. Elle pouvait presque le voir, adossé au même rocher que ce fameux jour. Le vent faisait voleter ses mèches décolorées par le soleil, exactement comme avant.

Elle cligna encore des paupières. En revanche il ne portait pas de costume ce jour passé. Pourquoi diable l'imaginait-elle en costume ? Seigneur, elle était en train de perdre la tête.

Puis la vision se mit en mouvement. A vraiment marcher vers elle, à se rapprocher de plus en plus.

147

Une puissante vague lui aspergea les jambes, mouillant le bas de sa jupe de toile blanche. Elise fit un pas en direction du mirage, s'arrêta. Il avait l'air trop réel.

— Tu es une dame difficile à trouver.

Elle le scruta. Il était bien réel.

— Ju... Julian? balbutia-t-elle.

Elle leva la main avec lenteur et lui toucha le torse.

— Je n'arrive pas à y croire. Que fais-tu ici?

— Je suis venu chercher cette femme que j'ai connue dans les îles il y a une quinzaine de jours. Une femme d'une grande beauté et aussi la dame la plus honnête qui puisse exister.

— Pourquoi es-tu venu la chercher? souffla Elise, se surprenant de pouvoir articuler un mot.

L'espoir qu'elle avait étouffé depuis des semaines commençait doucement à briser la coquille qui l'emprisonnait.

— Pourquoi n'as-tu pas répondu à mes messages? demanda Julian au lieu de répondre.

— A quoi bon? Tu étais à San Francisco et moi ici. Tu étais absorbé par ton travail et moi par le mien.

— C'est donc ça? Tu arrives à chasser ce que nous avons vécu, ce que nous pouvons encore vivre, aussi facilement?

— Julian, avança-t-elle avec précaution, qu'attends-tu que je dise d'autre? Comment pourrions-nous vivre autre chose alors que tu vis à cinq heures d'avion d'ici?

Il la regarda un long moment, intensément.

— Tu ne croyais pas que je reviendrais, c'est ça? interrogea-t-il, une note d'incrédulité dans la voix.

Le soleil se reflétait dans ses lunettes, et elle ne pouvait pas distinguer ses yeux.

— Non. Je ne le croyais pas.

Julian tourna les talons et s'éloigna de deux pas, puis revint vers elle.

— Ai-je été aveugle avec toi au point de ne voir que ce que je voulais dans notre liaison ? Je n'arrive pas à croire que j'aie pu me fourvoyer ainsi à notre sujet, Elise. Tu pensais qu'il ne s'agissait que d'une aventure passagère entre nous ? Je ne peux pas le croire.

— Qu'étais-je censée penser d'autre ? Un instant tu étais là, et la minute d'après tu volais déjà vers San Francisco. Ta famille, tes affaires, sont là-bas, pas ici. Est-ce ce que tu comptes faire, surgir et ressortir de ma vie à tout moment ? Je ne savais même pas que tu arrivais aujourd'hui.

— Evidemment, tu ne réponds pas au téléphone et tu ne me rappelles jamais. Si tu l'avais fait, je t'aurais prévenue du fait que je suis en train de transférer mes affaires à Honolulu pour que nous soyons ensemble.

— Que... quoi ?

— Si tu avais daigné me parler, j'aurais su que Kate et Roy avaient déménagé, que la maison était mise en vente, et que tu travaillais comme une dingue pour essayer de t'en sortir. Au lieu de quoi il a fallu que j'apprenne ça de la bouche de Kate en venant te chercher à la galerie. Si tu m'avais mis au courant, je t'aurais dit de ne pas te faire de souci pour l'argent. Je te donnerai tout ce dont tu as besoin.

— Je ne veux pas de ton argent, dit-elle platement.

— Ni de mon aide, apparemment. Tu n'as même pas songé à me demander de l'aide, je parie.

— Tu peux me donner de l'argent, et alors ? Je

sais que c'est ce à quoi tu t'attends de la part des femmes. Tu as été clair à ce sujet. Je ne suis pas comme ça.

— C'était au début. Pas après que j'aie appris à te connaître.

— Et que connais-tu de moi, au juste? Nous avons passé moins de deux semaines ensemble. Ça n'est pas bien long.

— Suffisamment pour que je tombe amoureux de toi, répliqua Julian en la dévisageant. Mon erreur a sans doute été d'imaginer que tu éprouvais les mêmes sentiments à mon égard.

Le cœur d'Elise se mit à battre lourdement, douloureusement dans sa poitrine.

— Tu m'aimes?

— Bien sûr que je t'aime, espèce de nigaude. Sinon à quoi tout cela rimerait-il? Je ne bouleverserais pas ma vie entière pour une simple connaissance.

— Tu ne m'as jamais dit que tu m'aimais avant ton départ.

— Je t'ai dit ce que je ressentais chaque fois que nous nous sommes aimés. Je n'aurais pas été plus clair si je l'avais crié à la face du monde entier.

Elle s'avança vers lui, exultant de joie, mais il tendit le bras pour l'empêcher d'approcher plus.

— Non. Si je te touche, j'arriverai à me convaincre qu'il me suffit de te tenir dans mes bras pour être heureux. Ce qui est faux. Je veux ton amour et ta confiance, Elise. Pour le moment je n'ai ni l'un ni l'autre, à ce qu'il semble. Peut-être as-tu raison. Peut-être as-tu besoin de temps. Si c'est ce que tu veux, tu as gagné.

Elise se figea. La voix lui manqua pour rappeler Julian. Le choc la maintint enracinée sur place tandis qu'il s'éloignait.

Elise resta un moment plantée devant la porte de l'appartement de Julian, la main en suspens, avant d'oser frapper. Elle se mordit la lèvre. Allons, courage, se sermonna-t-elle. De toute façon, elle n'avait plus rien à perdre, alors autant se lancer.

Prenant une profonde inspiration, la jeune femme alla cogner plusieurs fois de ses doigts repliés le panneau de la porte. Après une attente qui lui parut éternelle, elle renouvela son geste, plus fort cette fois.

Un son étouffé se fit entendre de l'intérieur de l'appartement. Elle fronça les sourcils : il s'agissait d'une voix féminine. Et une voix qui n'était pas celle de la sœur de Julian, si sa mémoire ne la trompait pas.

Elise tourna les talons. Quelle que fut cette personne, elle ne tenait pas à la rencontrer. Particulièrement si Julian se trouvait là aussi.

Arrivée devant l'ascenseur, elle entendit la porte s'ouvrir. Malgré sa volonté, elle ne put s'empêcher de regarder en arrière.

Une dame à cheveux gris en épaisse robe de chambre était apparue sur le pas de la porte.

— Elise Callahan ? s'enquit-elle.

Un oui hésitant lui fut répondu.

Tendant une main vers elle, la plus âgée des deux femmes dit :

— Entrez, entrez donc. Je viens juste de faire du café.

Elise s'avança vers elle.

— Je ne voudrais pas être indiscrète, mais j'ignore qui vous êtes.

— Je suis Fiona McDaniels, la secrétaire personnelle de Julian. Mlle McDaniels, pour être plus précise. Hélas les hommes de discernement privilégiant la cervelle par rapport à la beauté sont une denrée rare...

— Je suis heureuse de vous rencontrer, dit Elise en lui serrant la main. Je pensais que Julian était ici.

Lui prenant le bras, Fiona l'introduisit dans le séjour.

— Il n'habite pas ici. Il m'a laissé l'appartement en attendant que je trouve autre chose. Asseyez-vous, je vous en prie. Le décor n'est pas particulièrement intime, mais tâchez tout de même de vous mettre à l'aise. J'apporte le café.

Quelques minutes plus tard, elle en offrait une tasse à sa visiteuse.

— Je suis désolée d'arriver d'aussi bonne heure. Je vous ai dérangée, s'excusa cette dernière.

— Absurde. Rien ne me dérange excepté les vendeurs désagréables et bornés, répliqua Fiona en s'installant sur le canapé. Au contraire, vous m'intéressez. J'ai eu envie de vous connaître dès que Julian m'a parlé de vous à son retour de vacances. J'espérais bien connaître un jour son coup de foudre.

— Coup de foudre?

— C'est l'expression qu'il a employée en parlant de vous. Elle ne me semble pas exagérée. Voilà huit ans que je travaille avec lui, et jamais je ne l'avais vu désarçonné.

— Il n'est pas le seul à avoir été bouleversé, murmura Elise.

Fiona continua de siroter son café en étudiant la jeune femme de son regard franc. Puis elle se pencha et lui tapota la main.

— Ça me fait plaisir de vous entendre dire ça.

– Savez-vous où il se trouve? Il faut absolument que je lui parle.

Fiona jeta un coup d'œil à son bracelet-montre.

– Il m'a dit qu'il passerait la nuit chez sa sœur, mais tel que je le connais, il doit déjà être à la Tour Stafford.

– A sept heures du matin?

– Je l'ai déjà vu travailler plus tôt que ça. A ses débuts il n'était pas rare qu'il fasse le tour du cadran à son bureau.

– Pourriez-vous me dire à quel étage est son bureau? demanda Elise en posant sa tasse vide.

– Naturellement. Je vais aussi vous donner un petit aperçu de la façon dont fonctionne Julian, même si vous ne me l'avez pas demandé. C'est quelqu'un qui s'emballe à pleine vitesse quand il veut une chose et que rien n'arrêtera tant qu'il ne l'aura pas obtenue. C'est sa nature, autant le savoir.

– Alors comment faites-vous pour le calmer quand il marche à toute vapeur?

– Je lui ordonne de s'asseoir et de se taire. En général ça marche, conclut Fiona en riant. Mais parfois non.

Elise se leva et tendit la main.

– J'ai été contente de vous rencontrer. Et je retiens votre conseil. J'ai l'impression que je vais avoir besoin de toute l'aide possible pour inciter Julian à m'écouter.

– Vous y parviendrez. C'est un homme loyal. Prêt à tout faire pour ceux qu'il aime.

Elise tâcha de garder les paroles de Fiona à l'esprit tandis que l'ascenseur filait vers l'étage du bureau de Julian. Quand les portes s'ouvrirent, ele dut se forcer à sortir de l'appareil.

Jamais elle ne s'était sentie aussi nerveuse. Bien sûr, car rien dans sa vie n'avait jamais été aussi important que Julian.

La porte de son bureau était entrebâillée. Elle la poussa du pied pour l'ouvrir plus. Il était assis derrière un large bureau croulant sous les papiers, en train d'écrire. Une lampe posée dessus était l'unique éclairage de la pièce. Les stores de la fenêtre étaient encore abaissés.

Elle le vit poser son stylo et fermer les yeux en se renversant en arrière sur sa chaise.

Il avait l'air si fatigué, songea-t-elle. Sa cravate gisait sur des dossiers, plusieurs boutons de sa chemise étaient défaits. Une ombre obscurcissait sa mâchoire, comme s'il ne s'était pas rasé depuis un moment. Tout semblait indiquer qu'il n'était pas arrivée de bonne heure, mais qu'il avait plutôt passé la nuit ici.

L'énergie qui émanait d'ordinaire de sa personne était étrangement absente. Etait-ce elle qui l'avait rendu ainsi? s'inquiéta la jeune femme

— Julian?

Il ouvrit les yeux et la dévisagea, rétrécissant son regard.

— Elise?

Elle s'avança jusque dans le cercle de lumière.

— Oui.

Il se redressa sur sa chaise comme pour se lever, puis se renfonça dedans.

— Que fais-tu ici?

La boule qui obstruait la gorge d'Elise sembla grossir encore. Il ne paraissait guère heureux de la voir. Et il fallait qu'elle trouve un moyen de le faire changer d'avis.

— Je veux te parler, dit-elle, faisant un pas en avant.

154

L'homme se frotta la nuque d'un air las.

– Nous avons essayé hier sur la plage. Ça n'a pas donné grand-chose.

– Je sais. Par ma faute. J'essayais de m'habituer à ta disparition quand tu es soudain apparu. J'ai d'abord cru que je rêvais. Le temps que je me remette du choc de te revoir, tu étais parti. Tu ne m'as pas laissé une chance de m'expliquer.

Un sourire d'autodérision tordit les lèvres de Julian.

– On m'a dit que c'était une de mes habitudes.

– J'ai été mise au courant de certaines de tes mauvaises habitudes par ta secrétaire, rétorqua-t-elle en venant se planter devant le bureau.

– Fiona? Quand l'as-tu vue?

– Ce matin. En allant à la résidence.

Il scruta quelques secondes son visage d'un air pensif.

– Pourquoi es-tu allée là-bas?

– Pour te voir.

– Pourquoi?

Pour quelqu'un d'intelligent, songea Elise avec impatience, il se montrait remarquablement obtus.

– Pour te donner une autre chance.

Un son étranglé s'échappa de la gorge Julian. Rire ou expression d'incrédulité? Peut-être les deux. Il s'enfonça un peu plus dans son siège.

– Crois-tu vraiment que je mérite une autre chance?

Cela ne se passait pas du tout comme elle l'avait cru.

– En veux-tu une?

– Tu n'as pas répondu à ma question.

– J'espère que tu veux une autre chance, déclara-t-elle en faisant le tour du bureau.

— Ce que j'aimerais, c'est savoir ce que tu veux de moi.

Elle s'immobilisa à quelques centimètres de Julian.

— Je veux que tu m'écoutes sans m'interrompre.

— Ce genre de conversation devient routinier entre nous.

Elise serra les dents. Seigneur, ses nerfs allaient finir par la lâcher s'il continuait ainsi...

— Fiona m'a dit qu'elle avait l'habitude de crier et de te faire asseoir pour se faire écouter de toi. Tu es déjà assis. Dois-je crier aussi pour que tu veuilles bien me prêter attention ?

Julian secoua la tête et lui prit la main.

— Pas si tu me dis ce que je veux entendre.

Elle eut un sursaut quand l'étreinte de sa main se resserra et qu'il l'attira sur ses genoux. La sensation de ses cuisses musclées sous elle la perturba momentanément, mais elle lutta pour rassembler ses pensées.

— Je sais que j'ai été têtue à vouloir tout faire par moi-même et à ma façon. Ce n'est pas la raison pour laquelle je ne t'ai pas mis au courant du départ de Roy et Kate et de la mise en vente de la maison quand tu étais à San Francisco. Je pensais que je n'avais pas le droit de t'embêter avec mes problèmes.

— Parce que tu ne t'attendais pas à ce que revienne.

Elise le regarda avec soin, surprise par le ton peiné de sa voix. Elle se mordit la lèvre, puis cessa en le voyant lever la main vers sa bouche. La caresse de son index sur sa lèvre la troubla un instant, puis elle reprit :

— Je voulais que tu revienne. Mais je n'y croyais pas.

156

– C'est ce que j'ai du mal à accepter. Après tout ce qui s'est passé entre nous, tu pensais encore que ce n'était qu'une aventure pour moi.

– J'ai appris une chose après cet accident de voiture, c'est qu'il y a certaines chose que je ne peux pas maîtriser. C'est peut-être la raison pour laquelle je mets tant d'ardeur à vouloir que la galerie soit une réussite. C'est une chose sur laquelle j'ai de l'emprise. Je ne pouvais pas te faire rester.

– Tu n'as même pas essayé.

– J'essaye maintenant, dit-elle en croisant son regard.

Celui de Julian changea d'expression.

– J'ai écouté chacune de tes paroles, et je comprends. Seulement ce n'est pas ce que je veux entendre.

Elle détourna les yeux, le cœur gros. Puis commença à glisser hors de ses genoux, mais il plaqua une main sur sa cuisse pour l'arrêter.

– Laisse-moi partir, Julian.

– Non.

Entrevoyant une lueur d'espoir, la jeune femme prononça les mots qu'elle devinait qu'il voulait entendre :

– Veux-tu que je te présente mes excuses?

Il secoua la tête, la fixant intensément.

– Tu as dit que tu ne pensais pas me revoir, mais que tu le voulais. Je veux savoir pourquoi tu voulais que je revienne.

Elise prit une longue, apaisante inspiration.

– Parce que je t'aime.

Le bras de l'homme se resserra autour de sa taille.

– Je le savais, dit-il calmement. Et c'était évident pour moi que tu savais aussi que je t'aimais.

Elise se laissa aller contre lui. Tout irait bien maintenant.

— Comment le savais-tu?

— Je suis extrêmement perspicace.

— Et modeste.

— Et je suis le seul homme avec lequel tu aies couché. Tu n'es pas le genre de femme à coucher avec un homme qu'elle n'aime pas.

Elle lui enlaça tendrement la nuque.

— C'est effrayant, tu sembles me connaître mieux que moi-même.

Les lèvres de Julian effleurèrent celles de la jeune femme.

— Tu auras toute ta vie pour voir combien c'est effrayant.

— Es-tu vraiment en train de déménager toutes tes affaires ici? fit-elle dans un souffle.

— C'est chose faite. Justine et son mari se sont envolés pour San Francisco hier. Elle va prendre la direction du département de là-bas pendant que son mari effectuera des recherches pour un ouvrage qu'il doit écrire sur les tremblements de terre. Ils reviendront pour le mariage, bien sûr.

Alors que son cœur battait enfin normalement, il fallait que Julian trouve le mot pour le faire littéralement bondir dans sa poitrine, pesta Elise en son for intérieur.

— Mariage? Qui se marie?

— Nous.

Elle se recula pour mieux voir son visage:

— Tout simplement?

— D'accord, il nous faudra en passer par les tracas d'usage, et mes sœurs ne pourront sans doute pas s'empêcher de te donner un tas de conseils comme les femmes adorent le faire pour ce genre de cérémonie, mais ça en vaut la peine. Et puis il y a toujours tes frères...

— Mes frères quoi? fit Elise en remuant sur les genoux de Julian.

— Cesse de gigoter ainsi, amour. Il s'agit d'une conversation sérieuse.

— Oui, d'un mariage.

— De notre mariage. Michael a donné son consentement et son approbation. Il ne reste qu'à lui préciser la date.

— Michael est au courant de notre mariage? Alors que je viens juste d'apprendre la nouvelle?

Julian sourit, le regard radieux.

— C'est là que j'ai commis une erreur. En croyant que toi aussi tu nous voyais partis ensemble pour la vie. J'ai dit à Michael qu'il n'avait plus à s'inquiéter pour toi, puisque j'allais faire de toi la femme la plus heureuse d'Hawaii.

Elle secoua la tête :

— Et que vais-je raconter à nos enfants quand ils voudront savoir comment tu m'as demandée en mariage?

— Tu pourras leur dire que tu étais assise sur mes genoux, dans mon bureau. Et, ajouta-t-il en attirant Elise contre lui, tu ne seras pas obligée de leur parler de ce s'est passé ensuite...

Elle tendit ses lèvres et se laissa submerger par le bonheur. Dans les bras de Julian. Pour toujours.

LA COMPOSITION, L'IMPRESSION ET LE BROCHAGE DE CE LIVRE
ONT ÉTÉ EFFECTUÉS PAR LA SOCIÉTÉ NOUVELLE FIRMIN-DIDOT
MESNIL-SUR-L'ESTRÉE
POUR LE COMPTE DES PRESSES DE LA CITÉ
EN MAI 1993

Imprimé en France
Dépôt légal : juin 1993
N° d'impression : 23549